World Champions – Weltmeister

von Petra A. Bauer

Langenscheidt

Berlin · München · Wien · Zürich · New York

Lektorat: Maren Giering-Desler
Englischsprachiges Lektorat: Charlotte Collins
Illustrationen: Anette Kannenberg
Umschlaggestaltung: init.büro für gestaltung, Bielefeld

www.langenscheidt.de

Umwelthinweis: gedruckt auf chlorfrei gebleichtem Papier

Satz: Franzis print & media GmbH, München
Druck: Mercedes-Druck, Berlin
Bindung: Stein+Lehmann GmbH, Berlin
Printed in Germany

ISBN 978-3-468-20540-8

10010

Inhalt

The Terror of our Neighbourhood 5
Bad Day 14
The Rose Garden 27
Welcome Party 35
Mortally Offended 41
The Opening Match 46
Fight Your Enemy! 57
Unwelcome Fans 65
Friend or Enemy? 70
The Matchmaker 76
Plans and Advice 83
An Accident? 96
Two's Company, Three's a Crowd 101
Heroes 106
Double Winners 117

The Terror of Our Neighbourhood

"Wer ist Tony Bingham?", fragte Yannick und ließ keinen Zweifel daran, dass ihn das eigentlich nicht interessierte. Seine Aufmerksamkeit war weiterhin auf den Ball gerichtet, den er jetzt schon zum 32. Mal hintereinander mit dem Fuß jonglierte.
"Das ist der Mittelstürmer der Engländer! Du willst nicht im Ernst behaupten, dass du das nicht weißt?" Motte spitzelte Yannick den Ball von den Füßen, schoss ihn gegen die Hauswand und fing ihn mit dem Fuß wieder auf.
"Ey, was soll denn das?"
"Wir können uns doch abwechseln. Achtung, hier kommt er!" Motte spielte Yannick den Ball wieder zurück auf den Fuß, traf ihn aber unglücklich, sodass er auf den Bürgersteig rollte.
"Na toll. Ich wollte meinen Rekord brechen. Nun muss ich wieder von vorne anfangen."
"Wie oft schaffst du?", wollte Motte wissen.
"Hundertzehn Mal waren es gestern."
"Tony schafft zweihundert!" Motte machte Dehnübungen. Dabei wippte ihr roter Pferdeschwanz.

---

terror Schrecken
neighbourhood Nachbarschaft

“Tony schafft zweihundert!”, äffte Yannick Motte nach. Natürlich wusste er, wer Tony Bingham war. Es war schließlich seine Aufgabe, den Kerl im nächsten Spiel zu bewachen. Aber er kannte ihn nur unter dem Spitznamen “Bing” und konnte langsam nicht mehr hören, wie toll dieser Bing angeblich war.

“Bing is their **top striker**! You **have to mark him for sixty minutes**! You have to **stand** on his feet, **so** he can't **move without** seeing you”, predigte sein Trainer schon seit der Vorbereitung auf die *Children's* ***World*** *Football* ***Championship***.

BING, das stand auf seinem Trikot über der Nummer 10. Er hatte einen Fußball-Spitznamen, wie das sonst eher bei den Brasilianern üblich war, genau wie Motte, die eigentlich Michelle hieß, aber diesen Namen hasste wie die Pest.

Yannick hätte auch gerne einen trikottauglichen Spitznamen, aber was wollte man aus ‘Busseleit’ schon machen? Bussi vielleicht? Na, da würden ihn alle

---

top striker Torjäger
have to musst
mark decken
him ihn
for sixty minutes sechzig Minuten lang
stand stehen
so sodass
move sich bewegen
without ohne
world championship Weltmeisterschaft

schön aufziehen! Wütend schoss er den Ball gegen die Wand. Er prallte ab und flog über die Straße, genau in den Vorgarten von Oma Rose.
“Autsch!”, sagte Motte und verkrümelte sich um die Hausecke. Mit Oma Rose wollte sich niemand gerne anlegen, vor allem, wenn es um ihre geliebten englischen Rosen ging, die sie hegte und pflegte. Yannick wollte das auch nicht, aber er musste seinen Ball wiederhaben.
Oma Rose stammte aus Großbritannien und an ihrem Briefkasten stand ein schrecklich komplizierter walisischer Name, den niemand aussprechen, geschweige denn sich merken konnte. Ihren Spitznamen verdankte sie der überbordenden Blütenpracht in ihrem Garten. Wieso Oma Rose in Berlin wohnte, seit Jahrzehnten schon, und sich immer noch weigerte Deutsch zu sprechen, wusste Yannick auch nicht. Er hatte sie immer fragen wollen, aber sie flößte ihm zu viel Angst ein. Im Moment war auch nur wichtig, möglichst unbemerkt in ihren Vorgarten zu gelangen.
Zunächst wartete er ab, ob Oma Rose etwas von seinem unglücklichen Schuss bemerkt hatte, aber als sich ihre Haustür auch nach zwei Minuten noch nicht geöffnet hatte, schlenderte er betont langsam über die Straße, auf das Nachbarhaus von Oma Rose zu. Dort ließ er sich auf allen Vieren nieder und kroch im Schutz des rosenbewachsenen Staketenzauns bis zu

ihrer Gartentür. Das war die gefährlichste Stelle, denn die Tür quietschte, und er musste dort seine Deckung aufgeben. Als er hochblickte, um die Klinke herunterzudrücken, sah ein zerfurchtes Gesicht streng auf ihn herab.

“**Don’t you remember** what I **told** you last **time**?”, fragte sie schnarrend.

Und ob sich Yannick daran erinnerte! Und jetzt wollte sie ihre Drohung ganz offensichtlich wahr machen!

Er rappelte sich auf und starrte wie hypnotisiert auf das lange Küchenmesser in ihrer Hand. Gleich würde es vorbei sein.

In der Linken hielt sie seinen Ball, bereit, den tödlichen Stoß auszuführen. Dann würde der teure Lederball, den Yannick extra für die Kinder-WM zum Geburtstag bekommen hatte, den Tod seines Vorgängers sterben. Pffff… und aus die Maus.

“Please, **don’t!** It **was** a birthday present. My father **will kill me if** you kill my ball!”

---

don’t you remember erinnerst du dich nicht
told gesagt habe
time Mal
Don’t! Tun Sie es nicht!
was war
will kill me wird mich umbringen
if wenn

"**You should have thought about that before** you **hurt** my roses. It's **a lot of work** keeping **them healthy** and beautiful. And **then** you **kick** your ball at them and **destroy** them!"
Oma Rose war von den grauen Haaren bis zu den karierten Pantoffeln ein einziger Vorwurf. Yannick machte sein "Ich bin ein kleiner hilfloser Hund, hab mich doch lieb!"-Gesicht, das bei seiner Mutter immer zog. Und auch, wenn er Oma Rose damit nicht völlig besänftigen konnte, so schaffte er es doch seinen Ball zu retten.
Doch um welchen Preis?
"**All right.** I'm **in a good mood** today. **So** I **won't** kill your ball. But you have to help me with the ro-

---

you should have thought about that darüber hättest du nachdenken sollen
before bevor
hurt verletzt hast
a lot of viel
work Arbeit
them sie
healthy gesund
then dann
kick schießt
destroy zerstörst
All right. In Ordnung.
in a good mood guter Laune
so also
won't werde nicht

ses. Then you**'ll find out how much** work it is. **I'll teach** you to **show** them **some respect**. I don't have time **now**, but **I'll expect** you **here** tomorrow afternoon. You can learn to **treat these** flowers **well**."

Yannick atmete erleichtert aus. Also würde sein Ball überleben. Und bis morgen hatte Oma Rose längst vergessen, dass sie ihn in die Geheimnisse des Rosengärtnerns einweihen wollte. Alte Leute waren ja zum Glück sehr tüdelig. Er streckte die Hand nach seinem Ball aus.

"Oh, no! You'll get it **back** tomorrow afternoon, **when** you come for your first lesson."

"But I have to **practise** for the world championship!"

---

will find out wirst herausfinden
how much wie viel
will teach werde beibringen
show zeigen
some etwas
respect Respekt
now jetzt
will expect werde erwarten
here hier
treat behandeln
these diese
well gut
back zurück
when wenn
practise trainieren

Oma Rose lächelte. Das hatte Yannick noch nie bei ihr gesehen.

"Good **players** always take a break before an **important match**." Dann drehte sie sich um und schlurfte mit seinem Ball ins Haus, nicht ohne zuvor an der einen oder anderen Rosenblüte zu schnuppern.

Yannick starrte ihr fassungslos nach.

Sein Ball! Der Ball, den er mit ins Bett nahm, heimlich natürlich, damit ihn niemand auslachte. Der Ball, der ihn zum Weltmeister machen sollte! In den Fängen von Oma Rose! Und er stand da wie ein Depp und konnte nichts unternehmen.

Yannick ließ den Kopf hängen und ging zurück über die Straße, wo auch Motte wieder auftauchte. Er hätte sie so gerne einen Feigling genannt, aber das brachte er nicht fertig, auch wenn sie *genau das* war. Wie sonst nannte man jemanden, der einen Freund im Stich ließ, ausgerechnet, wenn er sich dem Schrecken der Straße stellen musste?

"Hat sie den Ball behalten?", fragte Motte entgeistert.

"Ja, sie wollte ein wenig trainieren", brummte Yannick.

---

players Spieler
important wichtigen
match Spiel

Motte kicherte. “Wenn sie den wegschießt, fliegen ihre karierten Latschen gleich hinterher!”
Yannick musste ein kleines bisschen schmunzeln.
“Hey, was ist los? Sonst hättest du dich darüber schlappgelacht.”
“Ich finde es eine Sauerei, dass sie mir so kurz vor der WM mein Trainingsgerät klaut! Wie soll ich mich denn dann vorbereiten?”
“Du bist doch fit, mach dir mal keine Sorgen.”
“Man kann nie fit genug sein!” Vor allem dann nicht, wenn der gefährlichste Gegner in der Jugendmannschaft von Chelsea London spielte, und man selber nur bei Grün-Weiß Berlin. Yannick hielt es noch immer für ein wahres Wunder, dass man ihn für die Deutsche Kindernationalmannschaft aufgestellt hatte.

“Hm.” Motte sah das offenbar anders.
“Was ist? Du bist doch hoffentlich in Form?” Yannick war gleich um sie besorgt, denn jede Mannschaft war nur so stark wie ihr schwächstes Mitglied. Dabei war Motte echt gut! Sie durfte mitspielen, weil das neue Reglement für die U-14-WM gemischte Mannschaften zuließ und Motte mit Abstand die Beste auf Rechtsaußen war.
“Ja, schon. In Form bin ich natürlich.”
“Lass dir doch nicht alles aus der Nase ziehen, Mensch!”
“Es wird dir nicht gefallen. Und mir eigentlich auch nicht.”

Yannick kickte – mangels Ball – einen Kieselstein in die Büsche. “Mot-te!”
“Jaaa, ist ja gut. Also, du weißt doch, dass der Trainer Leute gesucht hat, die die ausländischen Fußballer während der WM bei sich aufnehmen?”
Natürlich wusste Yannick das. Die Alternative wäre gewesen, die Gäste in Turnhallen unterzubringen, aber das wollte man niemandem zumuten. Also wurde in allen Vereinen nach Unterbringungsmöglichkeiten gefragt. Yannick hätte sehr gerne einen Gast aufgenommen, aber bei ihnen war einfach kein Platz. Das winzige Häuschen war vollgestopft bis obenhin, und im einzigen Raum, der einigermaßen groß war, stand der Flügel seiner Mutter inmitten von Bergen aus Notenblättern. Keine Chance irgendjemanden unterzubringen, es sei denn, er würde sich bereit erklären, irgendwo im Stehen zu schlafen.
“Klar weiß ich das!”, brummte Yannick. “Wenn es bei uns nicht so eng wäre, dann hätten wir auch einen genommen.”
“Wir haben den Platz, wie du weißt. Morgen zieht der Spieler in unser Gästezimmer ein.”
“Ja, und?” Yannick fragte sich, wieso Motte ihm schon wieder unter die Nase reiben musste, was für ein großes und schönes Haus sie und ihre Eltern besaßen. Oder worauf wollte sie hinaus?
“Es ist Tony Bingham, Yannick!”

Bad Day

Yannick lag im Bett und starrte an die Wand, wo die Poster von Ballack, Schweini und Podolski hingen, doch er sah sie gar nicht.
Tony Bingham! In Mottes Haus! Er kochte vor Wut. *Er* hatte es bislang noch nicht mal geschafft, einen halben Tag bei Motte zu verbringen, und dieser Bing hatte in den nächsten Wochen jeden Tag 24 Stunden. Gut, nicht ganz, denn beide mussten ja auch trainieren und die Spiele absolvieren. Aber trotzdem, das war eindeutig zu viel. Dass er in den letzten zwei Wochen im Trainingslager rund um die Uhr mit Motte zusammen gewesen war, zählte Yannick nicht mit. Aber *der Gegner* mit Motte unter einem Dach – das bescherte ihm schon in wachem Zustand Albträume.
Wieder fielen Yannick die Worte seines Trainers ein: "Bing is their main striker! You have to mark him for sixty minutes! You have to stand on his feet, so he can't move without seeing you."
Er würde nun nicht nur diese sechzig Minuten während der Spiele auf ihn aufpassen müssen, sondern auch in seiner Freizeit. Sein Erfolg hing natürlich auch von Motte ab. Aber er konnte doch nicht einfach zu ihr gehen und sagen: "Bitte, Motte, lass die Finger von Bing, nimm mich!"
Immer noch wütend sah er Ballack an. Und da begriff er, dass er auf keinen Fall als Zweiter durchs Ziel

gehen wollte. Er musste der Beste sein und dafür sorgen, dass Bing mitsamt seiner Mannschaft so schnell wie möglich wieder zurück nach England fuhr. Wenn er Glück hatte, flogen die Engländer schon in den Vorrundenspielen raus, dann hatte er nichts mehr mit Bing zu tun. Aber wenn England weiterkam, würde Yannick sie gleich bei der ersten Begegnung von der Platte putzen. Er wollte Bing nicht erst im Endspiel begegnen, sonst wäre dieser Kerl wirklich die ganze Zeit über bei Motte …

"**I'll beat** you and **send** you **home**, Bing!", rief Yannick grimmig Michael Ballack zu, und er hätte schwören können, dass dieser ihn aus seinem Poster heraus plötzlich angsterfüllt ansah.

will beat werde schlagen
will send werde schicken
home nach Hause

Yannick schlief miserabel in jener Nacht. Ein englischer Sportreporter kommentierte seinen Traum: "England's Bing and Germany's Motte are walking on the **pitch** hand in hand. We can't hear what they're saying, but I can read their **lips**. It's: 'I love you!' They're wearing **shirts** with 'Motte & Bing **forever**' **on the back**, **framed** with a big **heart**. And now – oh, wow! – they're kissing in the German **penalty area**! They **have**n't **seen** the player kicking the ball **towards** the goal. But what's this? Yannick Busseleit is running after the ball, **shouting** 'Du Verräterin!' and '**Take your hands off** my **girlfriend**!' He**'s**

---

pitch Spielfeld
lips Lippen
shirts Trikots
forever für immer
on the back auf dem Rücken
framed umrahmt
heart Herz
penalty area Strafraum
have seen haben gesehen
towards ... auf ... zu
shouting schreiend
take your hands off Hände weg von
girlfriend Freundin

fouled the English striker, and two **huge vultures** are carrying Tony Bingham off the pitch. They're flying in circles over the **stands** – now they**'ve let** him **go**, and Bing is falling ..."

Yannick fand sich auf dem Fußboden vor seinem Bett wieder. Er war heilfroh, dass Träume nicht wie beim *Public Viewing* auf eine Videowand übertragen werden. Er zwang sich, an etwas anderes zu denken. Zwar waren sie für die Dauer der Weltmeisterschaft und der WM-Vorbereitung von der Schule befreit, doch am Nachmittag würde das Training im Verein besonders hart werden. Er wollte ausgeruht sein, denn in wenigen Tagen ging die WM endlich los.

"Oh, Mann!", stöhnte Yannick. Am Nachmittag sollte er doch Oma Rose mit ihren dusseligen Blümchen helfen, damit er seinen Ball wiederbekam. Das Training durfte er aber auf keinen Fall schwänzen, sonst landete er beim Eröffnungsspiel womöglich noch auf der Ersatzbank.

Ihm musste ganz dringend etwas Schlaues einfallen!

---

has fouled hat gefoult
huge riesige
vultures Geier
stands Tribünen
have let go haben losgelassen

Am nächsten Morgen hatte er einen blauen Fleck an der Hüfte. Aber das würde ihn nicht am Spielen hindern! Selbst wenn die Schmerzen stärker würden – um nichts in der Welt wollte er diese Weltmeisterschaft verpassen!
Bei der Kinder-WM traten längst nicht so viele Mannschaften an wie bei der WM der Profis. Zu wenige Länder konnten oder wollten es sich leisten, eine Kindernationalmannschaft zu finanzieren und nach Deutschland zu schicken. So gab es nur vier Gruppen zu je vier Mannschaften, die untereinander jeweils die besten zwei ausspielten. Diese acht Mannschaften traten anschließend im K.-o.-System gegeneinander an. Wer verlor, war raus aus dem Meisterschaftsrennen.
Yannick wusste nicht, zum wievielten Male er sich die einzelnen Gruppen ansah:

Gruppe 1	**Gruppe 2**	**Gruppe 3**	**Gruppe 4**
Deutschland	Frankreich	England	Russland
Polen	Marokko	Südafrika	Österreich
China	Brasilien	Schweden	Südkorea
USA	Ukraine	Spanien	Irland

Im ersten Spiel mussten sie gegen die USA antreten. Yannick war sehr gespannt, weil man im Grunde keine Mannschaft richtig einschätzen konnte. Hier und da gab es Gerüchte, aber *wie* spielstark die Teams wirklich waren, würden sie wohl erst in der jeweiligen Begegnung erfahren.

Gleich nach dem Mittagessen klingelte es. Motte stand draußen. Ihm fiel sofort sein Traum wieder ein und er fühlte, wie er einen roten Kopf bekam.
"Hi! **What's the matter** with you?", fragte Motte.
"Ähm, ich habe gerade meine *crunches* gemacht und es wohl ein wenig übertrieben. Aber wieso sprichst du Englisch mit mir?"
"I want to be **prepared** when Tony **arrives.** I don't know **enough** English; I have to **practise**." Sie hielt Yannick ein schmales Wörterbuch unter die Nase, das sie aus der Hosentasche gezogen hatte.
Er verdrehte die Augen. Für ihn hätte sich Motte sicher nicht solche Mühe gegeben. Aber wenn der große Bing kam, paukte sie Vokabeln!
"Komm rein", brummte er.
Motte setzte sich auf seine Bettkante, stützte die Ellenbogen auf die Knie und legte das Kinn auf ihren Handflächen ab.
"Was'n los?", fragte Yannick.

What's the matter? Was ist los?
prepared vorbereitet
arrives ankommt
enough genug
practise üben

"I **just read** in the **newspaper** about how our footballs **are made**."
"Mann, kannst du mit dem Englisch-Quatsch nicht mal aufhören?"
"No, I won't. And **by the way**, I think it **would be** good for *you* to practise **a bit** too!"
Herrjeh! Motte hatte auch so einen Blick drauf, bei dem man ihr nichts abschlagen konnte. Yannick seufzte. "Na guuuut."
Motte strahlte. Dieses Lächeln war es wert, dafür konnte er sich auch ein bisschen Englisch abringen.
"What **did you want** to tell me about the footballs?"

"They're made by children!"
"By children?"
"Yes, children in Pakistan, China and **India** make 75 % of **all the** footballs in the world. They **work** for

---

just gerade
read habe gelesen
newspaper Zeitung
are made gemacht werden
by the way übrigens
would be wäre
a bit ein bisschen
did you want wolltest du
India Indien
all the allen
work arbeiten

hours and hours, it hurts their backs, and they **earn** very **little** money for it."

"Is **that really true**?" Yannick mochte gar nicht glauben, dass es Kinder gab, die den ganzen Tag Bälle nähten.

"I'm **sure** it is. Why would it be in the **news** if it wasn't true?"

Yannick setzte sich neben Motte auf die Bettkante und schaute genauso ratlos auf seinen blauen Teppich wie sie.

Mit einem Mal stand Motte auf. "We have to do something about it!"

Yannick sah sich um. War da noch jemand? "You and me? I ca**n't even** get my football back from Oma Rose! What **could** we do to **save** children **from** having to do illegal work?"

"**No idea.** But I'll think about it."

---

earn verdienen
little wenig
that das
really wirklich
true wahr
sure sicher
news Nachrichten
not even noch nicht mal
could könnten
save from davor bewahren
No idea. Keine Ahnung.

Yannick hoffte, dass Motte die Sache ganz schnell wieder vergaß. Nicht, dass er es nicht auch schlimm fand, was sie ihm erzählt hatte. Aber was sollten sie beide schon dagegen tun? Noch dazu, wo alles so weit weg in Asien passierte.

Dann fiel ihm sein eigener Ball ein. Ob den auch Kinder genäht hatten? Er bekam kurz ein schlechtes Gewissen. Doch dann fiel ihm ein, dass er gesehen hatte, wie teuer der Ball war.

"These footballs are so expensive, I think the children **must** be **paid pretty** well for making them."

"In your **dreams**! They **only** get **a few cents**. The **bosses** get the money."

"Are you sure?"

"Of course."

---

must müssen
paid bezahlt
pretty ziemlich
dreams Träumen
only nur
a few ein paar
cents Cent
bosses Chefs

Yannick wurde nachdenklich. Das klang ja wirklich nach einer großen Schweinerei. Aber ihm fiel trotzdem nicht ein, was zwei Zwölfjährige tun könnten, um an der Situation etwas zu ändern.
"When **are we going** to practise?", wollte Motte wissen.
"Oh, **shit**! I have to go to Oma Rose **first**! **Otherwise** my football will be **lost** forever."
"Do you really think she won't give it back to you if you go **there another day instead**?" Motte sah Yannick an, als wäre er unterbelichtet.
"I know her. She's **crazy**. Do you remember my old football?", fragte Yannick.
Motte lachte. "Yes, of course! The one with the **ugly** colours!"
"Toll, danke schön", brummte er und Motte lachte noch lauter.

---

are we going werden wir
shit Scheiße
first zuerst
otherwise sonst
lost verloren
there dahin
another day an einem anderen Tag
instead dafür
crazy verrückt
ugly hässlichen

"**Obviously** Oma Rose did**n't** like the colours **either**. She **stabbed** it with a knife" sagte Yannick.
"**You're joking!**" Motte bekam große Augen. "Now I know why you're afraid. But what does she want from you?"
"She wants to teach me how to treat her roses."
Motte ließ sich nach hinten aufs Bett plumpsen, hielt sich den Bauch vor Lachen und vergaß ganz ihr Englisch-Training.
"Is nich' wahr! Sollst du bei ihr den Gärtner spielen? Das will ich sehen!"
"Ha. Ha. Schön, dass wenigstens eine sich freut." Yannick wurde langsam sauer. War Motte nur gekommen, um sich lustig über ihn zu machen?
"Schmollst du jetzt?"
"Mhhh."
"Ich komme mit. Vielleicht kann ich sie ja überreden, dass sie dir den Ball auch ohne Gärtnerdiplom gibt."
"Sie will, dass ich lerne, dieses Grünzeug zu respektieren, damit ich nicht immer den Ball hineinschieße. Da wirst du mir auch nicht helfen können."
"Aber vielleicht geht es dann schneller."

---

obviously offensichtlich
not either auch nicht
stabbed hat erstochen
You're joking! Du machst wohl Witze!

Yannick verzog das Gesicht. Andererseits war er froh, dass er mit dem ollen Drachen nicht alleine bleiben musste.

"Wieso bist du eigentlich nicht längst drüben? Dann hättest du dir ihren Vortrag anhören können *und* wärst pünktlich beim Training."

"Sie hat vorhin nicht aufgemacht. Ich fürchte, wenn Oma Rose 'afternoon' sagt, meint sie ***teatime***. Das wäre dann um fünf – viel zu spät."

Motte sah zur Uhr. "Three o'clock is **also** afternoon."

Gemeinsam gingen sie das Stück bis zu Oma Roses Haus und Motte drückte den Zeigefinger energisch auf die Klingel neben der Gartentür.

Das wiederholte sie dreimal, dann öffnete sie das Gartentor.

"**Come on!**"

"I don't think it's a good idea to go into the garden without her **permission**."

"**Coward**!"

"**I'm not a** coward, but you obviously don't know Oma Rose very well."

---

teatime Teezeit
also auch
Come on! Komm schon!
permission Erlaubnis
coward Feigling
I'm not a ich bin kein

"**Even if I did** I **would**n't **act like this**. **Look**, **there's** a **bell** on the door **as well**. Maybe **the other one does**n't **work**."
Sie drückte auf den Knopf und nun hörte man das Klingeln auch draußen. Im Haus blieb alles still.
"Verdammter Mist!", sagte Yannick. "So sehe ich meinen Ball nie wieder!"
"Und wenn du dir die Lektion morgen anhörst?"
"Und wenn sie dafür keine Geduld hat?"
"Du kannst einen echt schaffen, weißt du das?" Motte ging um das Haus herum, und Yannick wurde es mulmig. Immerhin befanden sie sich auf feindlichem Gebiet. Da konnte Motte doch nicht so seelenruhig herumspazieren! Gleichzeitig war ihm klar, wie lächerlich es wirken musste, wenn er sie zurückpfiff. Also seufzte er einmal ganz tief, folgte ihr um die Hausecke – und prallte gegen Oma Rose! Motte stand neben ihr und rieb sich die Schulter.

---

even if I did selbst wenn
would act würde mich benehmen
like this so
Look. Schau.
there is es gibt
bell Klingel
as well auch
the other one die andere
does work funktioniert

The Rose Garden

Das Herz rutschte Yannick bis in den linken Fußballschuh, als er das bekannte faltige Gesicht über der blaugemusterten Kittelschürze streng auf sich herabblicken sah. Er erwartete ein lautes Donnerwetter.
"Oh good, you're here **already**. **Would you like** some lemonade before we **start**?"
Damit hatte Yannick nun nicht gerechnet. Das passte gar nicht zu ihrem sonst so ruppigen Verhalten. Er wollte ablehnen, denn das Training wartete.
Doch Oma Rose ließ keinen Zweifel daran, dass es eher ein Befehl war mitzukommen als ein freundliches Angebot. Sie schob Motte und ihn vor sich her ins Haus. Zunächst war da ein enger, dunkler Flur, ähnlich wie in dem Häuschen, das Yannick mit seiner Mutter bewohnte. Doch dahinter erstreckte sich ein erstaunlich helles, modern eingerichtetes Wohnzimmer.
Oma Rose schob Yannick und Motte auf ein blaues Sofa, schlappte in die Küche und kam bald darauf mit drei Gläsern zurück. Eine Schale mit Keksen stellte sie ebenfalls auf den Tisch.
Yannick und Motte wussten nicht recht, was sie nun sagen oder tun sollten.

---

already schon
would you like möchtet ihr
start anfangen

"First, tell me your names!" Oma Rose erlöste sie aus ihrer Verlegenheit.
"I'm Yannick, and this is Motte."
"Motte? That's not a **real** name, is it? **Nobody** would be called '**moth**' in England."
Also verstand Oma Rose doch ein wenig Deutsch. Das war gut zu wissen.
"My parents **called** me Michelle", gab Motte zu.
"So why do you want to be **named** after an ugly insect? Michelle is such a nice name!" Sie räusperte sich und trällerte mit hoher Stimme: "Michelle, ***ma belle***, these are words that **go together** well, my Michelle."

Yannick und Motte sahen sie verdattert an.
"It's a Beatles **song**. Don't tell me you don't know it!"
Aber die beiden kannten das Lied tatsächlich nicht, und Oma Rose schüttelte den Kopf.
Dann stand sie auf und schleppte einen Stapel Fotoalben zum Tisch. Derweil nahm Yannick einen Keks

---

real echter
nobody niemand
moth Motte
called haben genannt
named genannt
ma belle meine Schöne
go together zusammenpassen
song Lied

und biss sich daran beinahe einen Zahn aus. Motte war schlauer und ließ die Kekse liegen.
Und dann legte Oma Rose los: Sie zeigte Fotos von England, von ihrem verstorbenen Mann und von Rosen, Rosen und nochmals Rosen. Teerosen, alte Rosen, moderne Rosen, Kletterrosen, Buschrosen – Yannick schwirrte der Kopf.
"**Right**. Now you know the **difference** between them, let's go into the garden!"
Dort zeigte Oma Rose ihnen duftende und nicht duftende Rosen und fragte sie an jedem Busch, welche Rosen das wohl seien. Ihre Trefferquote war sehr gering.
"Erm, it's very **kind** of you to teach us all these interesting **things**", sagte Motte irgendwann. "But we**'ve got** a problem. The Children's World Football Championship starts in **a few** days, and we're on the German team. We have to go to **practice** now."
Für einen Moment sah Oma Rose traurig aus. "Ah, football!", sagte sie dann. "I remember something

---

Right. Gut.
difference Unterschied
kind freundlich
things Sachen
have got haben
a few wenigen
practice Training

about a ball in my roses. I **hope** you've learned your **lesson**? Roses are **living** things; you **mustn't** hurt them."

Yannick nickte heftig.

"Wait a minute!"

Oma Rose schlurfte wieder ins Haus, kam mit dem Ball in der Hand zurück und sah ihn bittend an. "**Gardening is getting more** and more **exhausting** for me. **I can**'t **bend down any more**. Would you please come back **sometime** and help me? Maybe you can tell me more about this championship."

"Okay!"

Da lächelte Oma Rose und gab Yannick den Ball.

"I **thought** she**'d never stop**!", sagte Motte auf dem

---

hope hoffe
living lebendige
mustn't darfst nicht
gardening Gartenarbeit
is getting wird
more mehr
exhausting anstrengend
I can bend down ich kann mich bücken
not any more nicht mehr
sometime irgendwann
thought dachte
never nie
would stop würde aufhören

Rückweg. "She **seems** to be very **lonely**. I always thought she was **just mean**."
"Ask my football. It *was* mean how she treated it. It doesn't make me like her better."
Yannick musste noch seine Trainingstasche einpacken, kurz darauf trafen sie sich an der Straßenecke und stiegen in den Bus zum Sportplatz.
Das Training war bereits im Gange, als sie ankamen.
"Ah, die Herrschaften geruhen auch schon, dem Training beizuwohnen!", meckerte Horst Tretmühl.
Und Marty McNamara, der Co-Trainer, maulte ebenfalls: "We **chose** the best German players for this World Championship. One of the **reasons** we **took** you was because your **coaches** told us **that** you **were reliable** and always **on time**. So **what's going on?**"

---

seems scheint
lonely einsam
just einfach
mean gemein
chose haben ausgewählt
reasons Gründe, warum
took haben genommen
coaches Trainer
that dass
were wäret
reliable zuverlässig
on time pünktlich
What's going on? Was geht hier vor?

"My grandmother was ill. It was an **emergency**, and we **had to call** and wait for the doctor because there was **no one else** at home."

Yannick lächelte Motte dankbar an. Es hätte echt dämlich geklungen, wenn sie gesagt hätte: *Yannick musste seinen Ball aus den Klauen einer alten Oma retten.*

"Dann trödelt jetzt nicht noch mehr rum!" Horst Tretmühl deutete auf die Umkleidekabine.

---

emergency Notfall
had to mussten
call anrufen
no one niemand
else sonst

Wie der Blitz waren die beiden umgezogen und ließen klaglos die fiesen Übungen über sich ergehen, die Horst sich heute für sie ausgedacht hatte. Da es ziemlich warm war, waren sie schon durchgeschwitzt, bevor sie überhaupt das Trainingsspiel begannen.

Beim Spiel stolperte Yannick ein paarmal über seine eigenen Füße.

"Are you **nervous**?", fragte ihn Motte. "**Pull yourself together!** Otherwise you **might end up** on the **substitutes' bench**!"

Yannick Busseleit auf der Ersatzbank? Niemals! Er biss die Zähne zusammen und schoss am Ende sogar zwei Tore. Einigermaßen zufrieden ging er vom Platz.

"You sometimes need a bit of motivation, hm?", fragte Motte auf dem Weg in die Umkleidekabinen.

"You'll just have to **remind me during** every match." Yannick grinste.

"Dream **on**!" Motte wutschte durch die Tür der Mädchenumkleide.

---

nervous nervös
Pull yourself together! Reiß dich zusammen!
might könntest
end up enden
substitutes' bench Ersatzbank
remind me mich daran erinnern
during während
on weiter

Es war nur noch ein zweites Mädchen in der Mannschaft, Josefine aus Bayern. Sie war ganz nett, wenn auch nicht so nett wie Motte.

Die Jungs im Team waren in Ordnung, aber es gab auch Angeber, wie Kevin aus Dortmund, der sich für den größten Fußballer aller Zeiten hielt. Doch Horst Tretmühl hatte ihm schon den Kopf zurechtgerückt. Trotzdem gab Kevin in der Umkleidekabine immer an wie eine Tüte Mücken.

"Without my **perfect passes**, you**'d** never **get a goal**, you have to **admit**, Yan!"

Das war etwas, was Yannick an Kevin hasste: Dass er ihn penetrant *Yan* nannte. Kevin war in Irland geboren und wohnte schon lange in Dortmund. Er hatte einen deutschen Pass, sprach jedoch meist Englisch, um nicht aus der Übung zu kommen. Und er fand es lustig, Namen auf Englisch zu verunstalten. Sonst war Kevin halbwegs okay, aber das ging Yannick wirklich auf den Keks, und so sah er zu, schnellstmöglich zu duschen und sich mit Motte auf den Heimweg zu machen. Es reichte, dass er im gemeinsamen Zimmer im Trainingslager die volle Dosis Kevin abbekommen hatte.

---

perfect perfekten
passes Pässe
would get a goal würdest ein Tor schießen
admit zugeben

Welcome Party

Am nächsten Nachmittag gab es für alle teilnehmenden Nationen eine Begrüßungsfeier, auf die Yannick auch gerne verzichtet hätte. Denn da würde er Bing kennenlernen. Bing, den er am liebsten gar nicht kennen würde. Torgespenst und Konkurrent bei Motte, so sah Yannick ihn. Er hoffte insgeheim, Tony Bingham wäre ein hässlicher, buckliger Kerl mit einer Warze auf der krummen Nase oder Segelohren wie Tassenhenkel. Oder wenigstens mit einem ganz miesen Charakter, was Motte bitte sehr auch sofort erkennen möge! Aber wer weiß? Warzen wären auf jeden Fall sicherer.

In dem Gewimmel der über dreihundert Kinder war Bing zum Glück erst einmal gar nicht zu sehen. Doch alle Kinder, die bei Gasteltern aus Berliner Fußballvereinen unterkamen, sollten auf diesem Fest ihre "Gastgeberkinder" kennenlernen und wurden dazu aufgerufen. Als der Name "Anthony Bingham" fiel, hielt Yannick den Atem an. Motte nahm einen dunkelhaarigen Jungen in Empfang, der ein Stück größer war als Yannick. Er war eindeutig buckel- und warzenfrei, und auch die Nase war kein bisschen krumm. Yannick konnte sich genug in Mädchen hineinverset-

---

welcome party Begrüßungsfeier

zen um zu sehen, dass dieser Bing ein Traumtyp war. Verdammt und zugenäht!
“**May I introduce** my best friend, Yannick?” Motte strahlte und Yannick machte ein finsteres Gesicht, selbst als Motte “He’s the best striker the world has **ever** seen!” hinzufügte.
Tony Bingham streckte Yannick die Hand hin. Beim Grinsen zierten Grübchen seine Wangen.
“We’ll see”, sagte er. “Hi, I’m Tony Bingham, but my friends call me Bing!”
“Hi, Tony”, erwiderte Yannick. Ihm blieb nur noch die Hoffnung auf einen miesen Charakter.
Doch auch die wurde enttäuscht. Bing erwies sich als aufmerksamer, höflicher Junge, der Motte mit Limo-Nachschub versorgte und sogar fragte, ob er Yannick auch etwas mitbringen sollte.
Eher beiße ich mir die Zunge ab, dachte Yannick und sagte: “No, **thanks**.”
So kam er den ganzen Nachmittag nicht zum Trinken, denn er konnte Motte und Bing schließlich nicht alleine lassen, um sich selbst was zu holen. So ertrug er mit wachsendem Unbehagen die freundliche Art von Bing.

---

may I darf ich
introduce vorstellen
ever je
thanks danke

Irgendwann gesellten sich Mädchen aus anderen Mannschaften dazu und stellten Bing mehr oder weniger simple Fragen:
“Where are you from?”
“How old were you **when** you started playing football?”
“Who’s your **football hero**?”
Yannick fand diese Anhimmelei einfach nur peinlich und nutzte die Gelegenheit, um Motte ein bisschen von Bing wegzuziehen.
“Hast du Hunger?”, fragte er.
“Wie ein Bär! Tony redet so viel, dass ich noch keine Chance hatte, zum Buffet zu gehen.”
“Dann los!” Yannick war erleichtert und fräste sich mit Motte durch die Reste der Salate und Buletten, die auf langen Tischen bereitstanden. Er wäre gerne dort geblieben, doch Motte hatte andere Pläne.
“Komm, lass uns zu Tony zurückgehen. Wenn meine Eltern uns abholen, sollen sie nicht noch warten, weil ich ihn erst suchen muss.” Sie machte eine Pause. “Er ist cool, oder?”
Yannick verschluckte sich beinahe an einem Stück Paprika und blieb eine Antwort schuldig, weil Bing in dem Moment zu ihnen stieß.

---

when als
football hero Fußballheld

"I've been looking for you everywhere. When do we go home?"

"We have to wait **until** my parents come to **pick us up**. By the way, where did you put your **luggage**?"

Tony Bingham zeigte quer durch den Raum.

"We had to put it in the room **over there**."

"Ah, okay. I hope there's not **too much**. My parents are coming in the small car; the big one**'s being repaired**."

---

until bis
pick us up uns abholen
luggage Gepäck
over there da drüben
too zu
much viel
is being repaired wird gerade repariert

Yannick seufzte leise. Mama und er hatten Fahrräder. Seit Papa mit dieser rothaarigen Knallschote durchgebrannt war, war einfach nicht mehr so viel Geld da. Und als Musikerin verdiente Mama nicht genug, um sich ein Auto leisten zu können. "Dafür müsste ich endlich mal einen Hit schreiben!"

So strampelten sie eben meist mit dem Fahrrad durch die Gegend. Im Prinzip fand Yannick das nicht schlimm, aber hin und wieder würde er schon lieber in einem schönen Auto sitzen, zusammen mit Mama und Papa, und die Welt wäre so, wie sie vorher gewesen war.

Weil Yannick in Gedanken versunken an seiner Bulette kaute, hatte er gar nicht mitbekommen, dass Motte und Bing nicht mehr neben ihm standen. Vor lauter Gewusel im Saal konnte er die beiden nicht entdecken. Ob sie zu dem Raum gegangen waren, wo das Gepäck aufbewahrt wurde? Yannick lief in die Richtung, in die Bing gedeutet hatte. Als er an der Tür ankam, drückte er vorsichtig die Klinke herunter. Falls die beiden dort drin waren, mussten sie ja nicht sofort bemerken, dass er ihnen hinterhergeschlichen war.

Der Raum war dunkel, doch es ging eine weitere Tür davon ab, die ein Stück offen stand. Licht fiel durch den Spalt, und Yannick hörte erregte Männerstimmen.

"If he doesn't want to play our game, he has to **disappear**!"
"But how **do we manage** that?"
"We? It's *your* problem. If you don't manage it, you'll have to live with the **consequences**." Der Mann lachte hässlich. "If you're **still alive**, that is."
"I'm not afraid of you! I don't believe a word of it."
"You don't have to be afraid of me. But you don't really want to **disappoint** our **Royal Highness**, do you?"
Yannick hatte die ganze Zeit kaum geatmet, doch er merkte, wie es in seinem Rachen kribbelte. Ein Hustenanfall bahnte sich an, und so gerne er diesem seltsamen Gespräch noch länger gelauscht hätte, er musste schnell weg von hier, wenn er keine Probleme bekommen wollte.
Yannick schob sich ganz leise rückwärts durch die Tür hinaus, und noch bevor er sie ganz geschlossen hatte, brach der Husten aus ihm heraus.

---

disappear verschwinden
do we manage schaffen wir
consequences Folgen
still immer noch
alive am Leben
disappoint enttäuschen
Royal Highness Königliche Hoheit

Mortally Offended

"Hast du die Männer gesehen?", war das erste, was Motte ihn fragte, als er ihr die Geschichte erzählte. Bing war in Mottes Gästezimmer hochgegangen und packte seinen Koffer aus.

Yannick hatte in seiner Panik nicht daran gedacht sich umzudrehen, um zu sehen, ob die Männer ihn verfolgten.

"Ich habe niemanden gesehen, das habe ich doch gesagt. Nur gehört. Zwei tiefe Männerstimmen."

Einer der Männer hatte pfeifend ausgeatmet – genau wie sein Vater. Papa mit seinem Asthma. Das auf wundersame Weise verschwunden war, als diese Frau auftauchte. Yannick hatte sich irgendwann gewundert, dass sein Vater nicht mehr fiepte, wenn er die Treppe zu Yannicks Zimmer erklomm. Und eines Tages hatte er Papa in der Stadt gesehen. Mit einer Zigarette in der Hand – Papa rauchte gar nicht! – und neben sich diesen rothaarigen Wischmopp. Kurz darauf war Papa ausgezogen. Dabei hatte Yannick Mama extra nichts verraten. Er hatte gehofft, das würde vorübergehen. Leider hatte Papa das Spiel nicht verstanden. Anstatt mit dem roten Mopp Schluss zu machen, hatte er gesagt, er wolle lieber mit ihr zusammen leben als mit Mama.

---

mortally tödlich
offended beleidigt

“Huhu, Yannick, what’s the matter with you?” Motte wedelte mit ihrer Hand vor Yannicks Gesicht, wie Magier es taten, um zu prüfen, ob ihr Opfer wirklich hypnotisiert war.

“Mensch, ich denke nach! Vielleicht fällt mir noch etwas ein.” Dass Motte auch immer so ungeduldig war!

Yannick fiel etwas ein. “Sie haben irgendwas von Royal Highness gesagt, und dass jemand verschwinden müsse, wenn er nicht ihr Spiel spielen wollte.”

“Royal Highness? Die Queen?”

“Wer sonst? So viele Königliche Hoheiten gibt es nicht. Außerdem haben die beiden Männer Englisch gesprochen.”

“Das klingt alles gar nicht gut”, stellte Motte fest.

“Ach, nee.” Yannick wurde langsam sauer. Natürlich war da etwas ganz und gar nicht in Ordnung. Er wusste nur nicht, was er mit diesen Puzzleteilen anfangen sollte.

“Vielleicht sollten wir mal mit Bing reden”, schlug Motte vor. “Möglicherweise hat er ja eine Ahnung, worum es dabei gehen könnte.”

“Die sollte er besser nicht haben, denn der eine Mann hat ganz klar gedroht: *If you don’t manage it, you’ll have to live with the consequences. If you’re still alive, that is.*” Außerdem könnte sie ihn mal mit ihrem Bing-Gesülze in Ruhe lassen, fand Yannick.

Andererseits … hatten sie ohne Bings Hilfe überhaupt

eine Chance zu erfahren, was da möglicherweise bei den Engländern im Busch war?
Egal, er würde morgen weiter darüber nachdenken. Gerade wollte er sich von Motte verabschieden und die paar Schritte zu seinem Haus hinübergehen, als Bing die Treppe wieder herunterkam.
"Motte, can I use your computer, please? I **just** want to send an e-mail to my family."
Als Bing Motte und Yannick im Flur stehen sah, guckte er irritiert. "Does he live here too?"
"No. But **like** I told you, he's a friend of mine, and he lives **nearby**."

---

just nur
like wie
nearby in der Nähe

Yannick war nicht sicher, ob er sich über "friend of mine" freuen oder ob er sauer sein sollte. Irgendwie klang das sehr beliebig. Irgendein Freund eben. Vorhin war er noch ihr "best friend" gewesen. Und das war schon nicht toll, weil er lieber ihr **boyfriend** wäre. Yannick mit Motte-Exklusiv-Vertrag.
Da Tony Bingham seine Laune sowieso schon wieder in den Keller getrieben hatte, beschloss er, dass Motte unbedingt etwas viel Netteres hätte sagen müssen und entschied sich für die "Sauer"-Variante.
"Tschüss", brummte Yannick und verließ das Haus.
"Good night! **See you** tomorrow!", rief Motte ihm nach, doch er drehte sich nicht um.

Am nächsten Tag tat er nichts weiter, als Mottes Haus zu beobachten und über die beiden Männer nachzudenken. Die olle Tretmühle hatte ihnen sämtliche sportlichen Aktivitäten verboten, denn einen Tag später war das große Eröffnungsspiel. Niemand sollte sich verletzen oder übertrainiert sein.
Es fiel Yannick schwer, den Fuß vom Ball zu lassen, zumal er dann nicht *rein zufällig* vor Mottes Haus spielen konnte. Also beschränkte er sich darauf, aus seinem Fenster zu schauen und Mottes Garten im Auge zu behalten. Lange Zeit tat sich gar nichts, und er

---

boyfriend (fester) Freund
See you. Wir sehen uns.

dachte schon, alle wären ausgeflogen, als Motte und Bing plötzlich in den Garten stürmten. Sie spielten allen Ernstes Fußball!
Yannick war erst sauer, doch dann drückte er seine Daumen so fest, wie er konnte, weil er hoffte, dass Bing sich verletzen und gleich beim ersten Spiel ausfallen würde.
Doch den Gefallen tat Bing ihm nicht. Stattdessen hatte Yannick den Eindruck, dass Motte humpelte, als die beiden nach einer halben Stunde im Haus verschwanden.
Den ganzen Tag über kamen sie nicht wieder zum Vorschein, was Yannick viel Zeit zum Grübeln gab. Ob Motte sich schwer verletzt hatte? Was drüben wohl vor sich ging? Natürlich hätte er rübergehen können. Dann hätten sie zu dritt etwas gemacht, und er hätte Bing im Auge gehabt. Aber dazu war Yannick zu stolz. Wer einfach nur *a friend of mine* war, war offensichtlich nicht erwünscht.
Da half nur: ganz laut *Die Toten Hosen* hören und alle Gedanken aus dem Hirn blasen lassen.

The Opening Match

Vor dem Eröffnungsspiel sammelte sich die deutsche Kindernationalmannschaft sehr zeitig am eigens für die WM eingerichteten Stützpunkt, um gemeinsam mit einem Bus ins Olympiastadion zu fahren. Also hieß es früh aufstehen.

Yannick kontrollierte wohl zum hundertsten Mal seine Trainingstasche. In der Nacht hatte er geträumt, er hätte ohne Hose auf dem Platz gestanden. Trikot, Hose und Stutzen waren jedoch in der Tasche, und die Schienbeinschoner natürlich. Den weißen Trainingsanzug mit den schwarz-rot-goldenen Abzeichen trug er bereits. Selbstverständlich musste auch sein Glücksstirnband mit, das weiße, auf dem Pantelic unterschrieben hatte. Das hatte ihn noch nie im Stich gelassen.

Ganz unten in der Tasche entdeckte er beim Wühlen in einer Ritze noch einen Zettel:

opening match Eröffnungsspiel

Er erkannte Mottes Schrift sofort. Sie musste den Zettel hineingeschmuggelt haben, als sie neulich in seinem Zimmer gewesen war. Das war, *bevor* sie Tony Bingham kennengelernt hatte, dachte Yannick grimmig.
Das Müsli wollte ihm heute Morgen nicht so recht schmecken. Ob es immer noch die Eifersucht auf Bing war oder einfach die Nervosität vor dem Spiel – das Ergebnis war jedenfalls dasselbe.
Hinten im Auto zwischen Motte und Bing bekam er auch keine bessere Laune.
"I want you to play a good match today", sagte Bing. "You have to **reach** the playoffs, so that we can beat you!" Er grinste.
"You have to **get that far** first", brummte Yannick. "Beat **Spain** and we'll think about it."
"Spain!" Bing lachte kurz, als sei es ausgeschlossen, dass die Spanier auch nur die winzigste Chance gegen die Engländer hatten.
Yannick war froh, als Motte und er endlich aussteigen konnten. Mottes Eltern brachten Bing noch zum Stützpunkt der englischen Mannschaft. Jetzt waren

Good luck! Viel Glück!
winner Gewinner
reach erreichen
get kommen
that far so weit
Spain Spanien

sie ihn erst einmal los, doch Motte schien darüber gar nicht so glücklich zu sein.
"Why are you being so **aggressive**?"
"We're playing football, remember? We all want to win. Bing's the **enemy**. But you seem to **be joining forces** with the enemy. If we really have to play England in one of the matches, we'll have to think about putting you on the substitute bench." Es sollte witzig klingen, doch so kam es bei Motte nicht an.
"Du bist völlig bescheuert!"
Ihr Pferdeschwanz wippte heftiger als sonst, als sie vor ihm her zum Bus stapfte.
Der Trainer beschwor sie noch einmal, den heutigen Gegner – USA – nicht auf die leichte Schulter zu nehmen.
"Wir haben hart trainiert. Alle wollen den Pokal und werden mit vollem Einsatz spielen. Vergesst das nicht. Und denkt daran: einer für alle, alle für einen. Keine Extrawürste, das gilt besonders für Kevin und Yannick!"
Yannicks Stimmung war auf dem Tiefpunkt. Bisher hatte sein Glücksstirnband ihn vollkommen im Stich gelassen. Erst der Stress mit Motte und jetzt Mecker vom Trainer. Er griff sich an die Stirn, um das Band

---

aggressive aggressiv
enemy Feind
be joining forces gemeinsame Sache machen

geradezurücken – doch da war nichts! Fieberhaft überlegte er, wo er es verloren haben könnte, bis ihm einfiel, dass er es beiseite gelegt haben musste, als er Mottes Zettel in der Tasche entdeckt hatte.
Na, das Spiel konnte er wohl abhaken.

Vor dem Spiel fand noch eine kleine Eröffnungsfeier statt. Als sie im Olympiastadion ankamen, hörten sie schon Stimmengewirr und Jubel auf den Rängen. Fahnen wehten überall und der Stadionsprecher kündigte ein Gewinnspiel an. Kinder tanzten und sangen auf einer Bühne, die in der Mitte des Ovals aufgebaut war.
Als Yannick den Rasen des Olympiastadions betrat, fühlte er sich so klein und unbedeutend wie einer der Grashalme auf dem Spielfeld.
Kevin und er liefen sich nebeneinander warm.
"Yan, you and I have to be a very good team today! Are you in good **shape**?"
"I think **so**." Das war eine glatte Lüge.
Sie klatschten sich ab und ebenso machte er es mit allen anderen im Team, als sie kurz vor dem Anpfiff noch einmal alle am Spielfeldrand zusammenstanden.

---

shape Form
so ja

"We are the **champions**", sangen sie, um sich Mut zu machen, doch Trainer Marty schritt ein: "Wait until the **finals** – if you win! Now **get out** onto the pitch."
Dann scheuchte er alle zurück aufs Feld. Yannick drehte sich noch mal zur Tribüne um und winkte seiner Mutter zu, die es rechtzeitig zu Spielbeginn ins Stadion geschafft hatte. Hoffentlich hatte sie den Song für die Limo-Werbung noch fertigbekommen, sonst würde sie wie auf Kohlen auf ihrem Platz sitzen.
Die Amerikaner waren nach dem Anstoß gleich im Ballbesitz, weil Yannick sich nicht gegen Chapman, einen riesigen Stürmer, durchsetzen konnte. Von Anfang an übten sie starken Druck auf das deutsche Tor aus. Ständig erwischte Chapman Yannick auf dem falschen Fuß, aber Kevin ging es mit seinem Gegenspieler auch nicht besser. Nach der ersten Halbzeit stand es noch immer 0:0.
"We can't **let** them **pin** us **down** like this. It's time to play more aggressively", klugscheißerte Kevin. Als wenn sie das nicht alle selber wüssten.

---

champions Meister
finals Endspielen
get out raus
let es zulassen, dass
pin down festsetzen

Yannick sah zu Motte hinüber. Sie hatten heute überhaupt nicht gut zusammengespielt. Ihre Blicke trafen sich.
"Sorry", formten Yannicks Lippen. Es war wirklich blöd, was er gesagt hatte – "You seem to be joining forces with the enemy ..." Klar, dass Motte da sauer war. Und mit einer sauren Motte konnte er nicht harmonisch Fußball spielen. Sie hatte ihn kein einziges Mal in der ersten Halbzeit angespielt und umgekehrt war auch nicht viel passiert. Das ging einfach nicht in einem Team.
Motte nickte, kam zu ihm rüber und knuffte ihn höchst unsanft auf den Oberarm.
"You really are very **stupid**!"
Yannick rieb sich die schmerzende Stelle. Am liebsten hätte er zurückgeknufft und ihr dann erklärt, weshalb er so genervt war, aber beides traute er sich nicht. Schon gar nicht in der Halbzeitpause eines so wichtigen Spiels.
"Where's your **headband**?" Motte hatte es also auch bemerkt.
"I **left** it at home", murmelte Yannick, der sich dafür immer noch in den Hintern beißen könnte.

---

stupid dumm
headband Stirnband
left habe gelassen

"I've always told you you don't need it. You'll be fine. Kevin and I will help you with Chapman, okay? And if nothing else works, we**'ll trip him up**!" Motte zwinkerte Yannick zu.

Der Trainer gab ihnen letzte Anweisungen, von denen eine ganz klar hieß, dass niemandem ein Bein gestellt werden durfte – scharfer Blick in Mottes Richtung – und auch sonst nicht gefoult wurde.

"Schon klar, damit wir wenigstens als fairste Mannschaft ausscheiden", brummelte Josefine und trat gegen die Eckfahne.

Mark, der deutsche Keeper, machte sich schon mal auf den Weg ins Tor. Die anderen folgten. Yannick wartete mit geballten Fäusten auf den Wiederanpfiff. Und diesmal standen sie Chapman zu dritt auf den Füßen.

"Numbers 13 and 7 of the German team are stopping Chapman from getting any **further**! Another **shot** there – but the German **goalkeeper** is **brilliant**!", dröhnte der Sprecher durch das Stadion.

Marks Abstoß ging weit in die Hälfte der Amerikaner. Motte und Kevin schirmten Chapman ab, der schaffte es trotzdem, sich freizulaufen und attackierte

---

will trip him up werden ihm ein Bein stellen
further weiter
shot Schuss
goalkeeper Torwart
brilliant großartig

Yannick im Strafraum. Yannick flog in hohem Bogen über Chapmans Fuß und kullerte ins Tor. Der Ball ging weit daneben.
“It’s the ball that **belongs** in the goal, not you”, witzelte Kevin, während der Schiri Elfmeter pfiff.
Da auch in der deutschen Kindernationalmannschaft die goldene Regel galt, dass der Gefoulte den Elfer nicht selbst schießen sollte, trat Kevin an und hämmerte das Leder unhaltbar direkt unter die Latte.
Alle jubelten und begruben Kevin unter sich, der somit das erste WM-Tor geschossen hatte. Yannick gönnte es ihm, obwohl er natürlich gern selbst diese Ehre gehabt hätte, aber so krumm, wie es heute bei ihm lief, hätte er vermutlich nicht mal ein Scheunentor getroffen.
Nach einigem Rumgegurke blieb es am Ende beim 1:0. Auf dem Weg in die Dusche sangen sie laut und falsch “The Winner Takes It All”.

Anschließend wollten sich alle Spieler auf der Tribüne versammeln, um das Spiel England gegen Spanien zu sehen.
Yannick ging alleine zu den vorgesehenen Plätzen. Dabei passierte er langsam die Bankreihen. Das Gemurmel der Leute waberte in seine Ohren, bis er plötzlich innehielt.

---

belongs gehört

"If they **go on playing** like this, they**'ll be knocked out** in the **preliminary round**!" Die Stimme des Mannes kannte er! Sie war ganz besonders tief und das pfeifende Atemgeräusch war auch dabei.
"Maybe we won't need to **put** our plan **into action after all**!" Und das war eindeutig der andere Mann aus dem Gepäckraum! Der, der das Problem am Hals, aber angeblich keine Angst vor dem anderen Mann hatte.
Vorsichtig rutschte Yannick schräg hinter den beiden auf einen Sitz, um nicht zu verpassen, was sie weiter sagen würden. Vielleicht konnte er dann endlich herausfinden, um was es eigentlich ging.

"Forget about it! Don't **try** to **get out of** our **arrangement**! I'm getting the **impression** that you're just a **goddamn** coward!"
"No, I'm not!", begehrte der andere auf und vergaß dabei seine Stimme zu dämpfen, sodass Yannick sich beim Lauschen nicht einmal anstrengen musste. "But

---

go on playing weiterspielen
will be knocked out werden ausscheiden
preliminary round Vorrunde
put into action in die Tat umsetzen
after all überhaupt
try versuch
get out of … dich vor … zu drücken
arrangement Abmachung
impression Eindruck
goddamn verdammter

I do**n't** want to do **anything** if it might **work out** without my **help**!"
Yannick hörte nicht, was der erste Mann erwiderte, denn Kevin zog ihn plötzlich am Trikot hoch. "Here you are! We're sitting over there. Why don't you **join us**?"
Einer der Männer drehte sich zu Yannick um, und dieser tat, als müsste er sich am Kopf kratzen, damit der Mann sein Gesicht nicht so genau erkennen konnte. Er hatte genug Krimis gelesen, um zu wissen, dass es im Zweifel von Vorteil sein konnte unerkannt zu bleiben. Obwohl er noch immer keine Ahnung hatte, um was es hier eigentlich ging.
Irgendwas war hier faul, und wenn er an das bedrohliche "if you're still alive" dachte, dann war es sogar mordsgefährlich, oder ging die Fantasie mit ihm durch? Seine Gedanken wurden jedoch in dem Moment in eine andere Richtung gelenkt – der Anpfiff für England gegen Spanien ertönte. Rasch setzte er sich neben Kevin und sah zu, wie die Spanier von der ersten Minute an schwammen.

---

not anything nichts
work out klappen
help Hilfe
join us kommst zu uns

"The **Spanish** players have **hardly** managed to get **past** the **centre line**. Their **defence** isn't bad, but it isn't good enough to stop Bing!" Der Stadionsprecher überschlug sich beinahe vor Begeisterung, als er die folgende Szene kommentierte: "Bing to Smith, great! What are they doing? Oooh, great shot – and ... goo-ooal for England!"
England spielte effektiv und es war auch noch schön anzusehen. So schön, dass sich Josefine dazu hinreißen ließ, einen "Go, Bing, go!"-Anfeuerungsruf abzusondern.
"Spinnst du, Fine?", wurde sie gleich zusammengefaltet. "England soll gar nicht weiterkommen! Oder möchtest *du* gegen einen Stürmer spielen, der so glatt durch die Abwehr flutscht, wie ein heißes Messer durch Butter?"
Josefine murmelte eine Entschuldigung, und Yannick war froh, dass es nicht Motte gewesen war, die sich so vergessen hatte.

Spanish spanischen
hardly kaum
past hinter
centre line Mittellinie
defence Verteidigung

Fight Your Enemy!

Motte saß in Yannicks Zimmer und kühlte ihren Knöchel.
"Marty told us not to play football off the pitch during the championship!", sagte Yannick vorwurfsvoll. Inzwischen hielt er es für eine gute Idee, weiter Englisch mit Motte zu sprechen. Das versetzte ihn außerdem in die Lage, besser zu verstehen, was Bing erzählte, auch wenn sein breites britisches Englisch sehr gewöhnungsbedürftig war.
"I haven't played **in the last few** days", protestierte Motte.
"But **you did** the day before the **tournament** started. In the garden. With Bing."
"What? Were you watching us?" Motte stemmte die Arme in die Seite und zog die Stirn in Falten.
"No, I just **saw** you when I **looked out** to see what the weather was like." Die Lüge kam Yannick zwar über die Lippen, ohne dass er rot wurde, doch Motte sah ihn zweifelnd an und zog mit dem Zeigefinger ihr rechtes Unterlid ein Stück herunter.

---

fight bekämpfe
in the last few die letzten
you did du hast es getan
tournament Turnier
saw habe gesehen
looked out hinausgeschaut habe

"You were in a really bad mood **that** day. I **wondered** why you didn't come **round** and join us."
"What about you? You didn't come round either."
Dazu fiel Motte offenbar nichts ein. Stattdessen rieb sie ihren Knöchel.
"Does it hurt a lot?", fragte Yannick besorgt.
Sie hatten die drei Vorrundenspiele gut hinter sich gebracht und waren tatsächlich als Gruppensieger ins Viertelfinale gekommen. Doch offenbar hatte Motte während der ganzen Zeit Schmerzen gehabt.
"Only a bit. **Don't worry.**" Sie lächelte Yannick an und er sah rasch weg.
"By the way, where's your **shadow** today?" Er hatte Bing noch gar nicht gesehen.

"Don't call him my shadow. He**'s** just **staying** here. And **anyway**, he's a very nice **guy**." Dabei setzte sie einen schwärmerischen Blick auf.
Danke – genau das, was Yannick nicht hören wollte. Motte machte das doch nicht etwa mit Absicht?

---

that an diesem
wondered habe mich gefragt
round vorbei
Don't worry. Mach dir keine Sorgen.
shadow Schatten
is staying übernachtet
anyway außerdem
guy Kerl

"He**'s doing some sightseeing** with his team. They're looking round Berlin", fügte sie noch hinzu. Dabei war Yannick das eigentlich egal – Hauptsache, Bing war möglichst weit weg.
Motte wechselte ganz plötzlich das Thema: "**Have** you **had** any ideas about how we can **call attention to** the **fact** that children are making our footballs?"
"Me?" Yannick war ehrlich erstaunt. "You were the one who thought of doing that, remember?" Er war eigentlich ganz froh, dass er im Eifer der Vorrundenspiele nicht mehr daran gedacht hatte. Die Sache mit der Kinderarbeit war ihm so unangenehm, dass er den Gedanken ganz beiseite geschoben hatte. Und offenbar nicht nur diesen. Yannick schlug sich mit der flachen Hand vor die Stirn. "Ich Trottel!"
"Right!" Motte griente, aber Yannick überhörte ihren Einwurf.
"I **completely forgot** to tell you. I saw the two guys who were talking about their *Royal Highness* during the welcome party!"

---

is doing some sightseeing sieht sich die Sehenswürdigkeiten an
have had hast gehabt
call attention to aufmerksam machen auf
fact Tatsache
completely total
forgot habe vergessen

Motte machte ein wenig intelligentes Gesicht. "I thought you **said** you hadn't seen them."
"Not that day, but I remembered their **voices**. And then I **heard** them again when England was playing **against** Spain. I was sitting **right** behind them, but just when it was getting interesting Kevin **made me** come and sit with our team."
"And you forgot to tell me that you'd seen them? Motte schüttelte den Kopf. Aber Yannick musste derzeit einfach an zu viel denken, als dass er sich auch noch Dinge merken konnte, die ihn eigentlich nichts angingen. Vermutlich hatte er sowieso alles falsch verstanden.

"What did they say?" fragte Motte nach.
Yannick überlegte. "It was something like *If they go on playing like this, they'll be knocked out in the preliminary round!*"
"**Anything else?** There's nothing **strange** about saying that." Motte sah nicht sehr beeindruckt aus. Aber sie hatte ja auch nicht gehört, *wie* die Stimmen der

---

said hast gesagt
voices Stimmen
heard habe gehört
against gegen
right genau
made me hat mich gezwungen
Anything else? Sonst noch etwas?
strange Seltsames

Männer geklungen hatten, während sie miteinander sprachen.
"Something about being a coward and having to **change** plans. I can't remember it **exactly**."
"Seems to me like an **ordinary conversation** to have during a football match." Motte zuckte mit den Schultern. "Have you got another **cool pack** for me?"
Yannick nahm das blaue Gelkissen, das von Mottes Bein ganz warm geworden war, legte es zurück in den Kühlschrank und kam mit einem frischen wieder. Dabei warf er einen Blick auf ihren Knöchel und fand, dass dieser gar nicht besonders dick oder blau aussah. Aber er sagte nichts dazu, denn ihm war grad wieder eingefallen, was die Männer bei ihrer ersten Begegnung gesagt hatten. "I remember that, when I heard them the first time, one man said *If he doesn't want to play our game, he has to disappear.* And then something about consequences and **dying**."
Wie hatte er das nur so verdrängen können? Wenn nun jemand ernsthaft in Gefahr war?

---

change ändern
exactly genau
ordinary normales
conversation Gespräch
cool pack Kühlkissen
dying Sterben

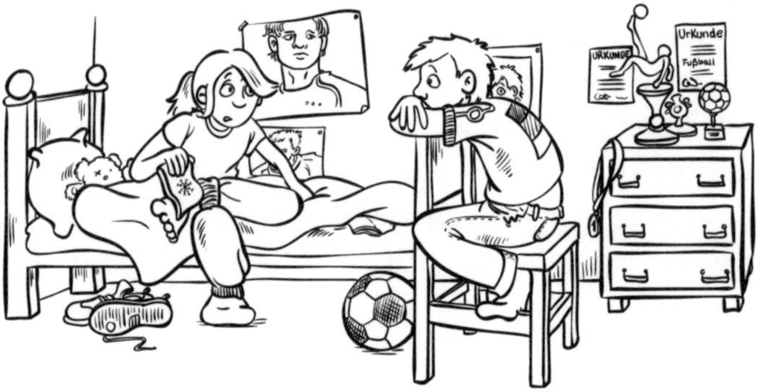

"I think **somebody was** just **exaggerating**. I **suppose** all the **fuss** is just about a **bet**", erwiderte Motte.

"You think they**'re betting** on who will win? But what about the plans they talked about? Somebody has to do what they want them to do. **Whatever** it is – the **only** thing I know about them is that they're **British**. I've no idea who they are or where to **find** them."

---

somebody jemand
was exaggerating hat übertrieben
suppose nehme an
fuss Aufregung
bet Wette
are betting wetten
whatever was auch immer
only einzige
British britisch
find finden

"**Well**, it might not be too difficult to find out. Why don't we ask Bing? Maybe he knows them."
Jetzt hatte er gerade mal eine Weile nicht an den Kerl gedacht, aber Motte schien der ja nicht aus dem Kopf zu gehen!
"What?" Motte sah ihn angriffslustig an. Offenbar hatte sie bemerkt, dass er schon wieder genervt war.
Yannick antwortete nicht, sondern war plötzlich sehr damit beschäftigt, seine Socken richtig hochzuziehen.
"Yannick? Kommst du mal?", rief seine Mutter von unten. "Die alte Dame von gegenüber hat gefragt, wann ihr wieder mal vorbeikommt. Weißt du, was sie damit meint?"
Yannick lief ein paar Stufen hinunter.
"Wir haben ihr neulich ein bisschen im Garten geholfen, und sie hat uns was über Rosen erzählt. Und sie wollte, dass wir öfter kommen."
"Das ist aber nett von euch!" Mama strahlte, und Yannick wurde ein bisschen rot, weil er sich nicht zu sagen traute, dass die Hilfe an dem Tag nicht ganz freiwillig gewesen war.
Jedenfalls war jetzt eine prima Gelegenheit, die Unterhaltung mit Motte zu beenden. Minuten später standen sie in Oma Roses Garten und wässerten die Rosen.

---

well nun

"How nice that you could come. My roses and I are very happy!"
Yannick fragte sich, weshalb er eigentlich so viel Angst vor ihr gehabt hatte, auch schon damals, *bevor* sie seinen ersten Ball erdolcht hatte.
Als Motte mit ihrer Gießkanne gerade am anderen Ende des Gartens war, fragte Yannick die alte Dame um Rat.
"What would you do if you thought somebody **was planning** to do something dangerous, but you didn't know exactly what?"
Oma Rose lächelte ihn an. "My husband was a **soldier**", sagte sie dann, und ließ ihren Blick in die Ferne schweifen. "He always told me that the best **way** was to give your enemy a **false sense** of **security** – and then **strike**!"
Yannick wusste auf Anhieb nicht, was er damit anfangen sollte, aber Oma Rose war mit ihren Gedanken jetzt offenbar ganz woanders.

---

was planning plante
soldier Soldat
way Weg
false falsches
sense Gefühl
security Sicherheit
strike zuschlagen

Unwelcome Fans

Den Gegner in Sicherheit wiegen und dann zuschlagen, hatte Oma Rose geraten. Das klang erstmal super, aber Yannick wusste noch nicht einmal, wer der Gegner eigentlich war, und was genau er vorhatte. "If you're still alive, that is" – das klang so bedrohlich. Wenn nur dieser Hustenananfall nicht gewesen wäre! Dann hätte er länger zuhören können und wüsste vielleicht, worin die beiden verwickelt waren. So blieb ihm bislang nur seine Fantasie.
Mit einem Mal wünschte Yannick sich, er könnte wie immer ganz normal zur Schule gehen und wäre nicht wegen der WM befreit. Dann müsste er wenigstens nicht gegen den bisher besten Stürmer des Matches antreten, und er müsste auch nicht herausfinden, was die beiden Engländer ausheckten.
Aber musste er das denn wirklich? Er hatte das Gespräch der Männer doch schon einmal vergessen. Er würde sich einfach auf etwas anderes konzentrieren. Zum Beispiel darauf, ob es wirklich nötig war, gegen Bing anzutreten. Bisher galt Yannick als guter Stürmer. Sowohl in der Nationalelf als auch beim 1. FC Grün-Gelb Berlin. Wenn er gegen Bing aussah wie die allerletzte Lusche – und das würde er, da war er sicher – dann war sein Ruf komplett im Eimer.

---

unwelcome unwillkommene

Je länger er darüber nachdachte, desto mehr spürte er, wie ihm alles zu viel wurde. Am liebsten wäre er ins Bett gekrochen und hätte sich die Decke über den Kopf gezogen, aber seine Mutter rief ihn zum Essen. Er stocherte in seinen Nudeln herum, doch Mama schien gar nicht zu merken, dass er keinen Appetit hatte.

Dafür merkte er, dass sie ihm gern etwas sagen wollte, aber offenbar nicht genau wusste, wie.

"Yannick, ähm, also ich wollte dir sagen ... Also, Papa hat gesagt, dass er kommen und sich dein nächstes Spiel anschauen möchte. Er hat schon Karten gekauft für sich und ..."

Yannick wäre beinahe die Gabel aus der Hand gefallen.

"Er bringt doch nicht etwa den Wischmopp mit?"

"Wischmopp?" Mama wirkte im ersten Moment irritiert. Dann lachte sie, aber es klang nicht fröhlich. "Ach, du meinst Sonja. Ich finde ja eher, sie sieht aus wie Pumuckl. Diese Geschmacksverirrung werde ich Papa sicher nie verzeihen." Sie verzog das Gesicht. "Aber du hast recht – sie wird mitkommen. Und ich wollte dich vorwarnen."

"Danke. Ich glaube, ich hätte es lieber nicht gewusst."

"Ich wollte nicht riskieren, dass du sie zufällig dort sitzen siehst und vor Schreck den Ball verlierst. Sie haben nämlich Karten für die erste Reihe."

"What's the matter with you?", fragte Kevin ihn bei der Taktikbesprechung. "You seem really nervous." Yannick erschrak. War ihm schon so deutlich anzusehen, dass ihm alles zu viel wurde? Bing, die komischen Typen, und jetzt auch noch sein Vater!
"**Everything**'s fine." Yannick zog eine Grimasse, die ein Lächeln werden sollte, aber er war nicht sicher, ob Kevin darauf reinfiel. "I'm completely **calm**. Ommmmm."
Kevin grinste. "That's better. Remember: we want to be the champions."
"Stop talking over there!", meckerte Marty McNamara, der gerade versuchte, ihnen die Taktik für das Spiel gegen die Franzosen einzubläuen.
In den Playoffs spielte nämlich zuerst der Sieger der Gruppe 1 gegen den Zweiten von Gruppe 2 und umgekehrt. In Gruppe 3 und 4 lief es ebenso.
"We will beat France!", tönte Kevin.
"**Careful**", bremste Yannick ihn. "There's a good chance that we can beat them, but you know what can **happen** if you **underestimate** an **opponent**." Schließlich gab es genug Beispiele für Mannschaften,

---

everything alles
calm ruhig
careful Vorsicht
happen passieren
underestimate unterschätzt
opponent Gegner

die einem vermeintlich einfachen Gegner zu überheblich und lässig entgegengetreten und dabei böse auf die Nase gefallen waren.
Das wussten auch die anderen, und so war die deutsche Mannschaft vor dem Frankreichspiel nervöser als bei den anderen WM-Begegnungen bisher.
Außerdem hatte Papa es für eine gute Idee gehalten, ihn zusammen mit diesem Pumuckl-Verschnitt mit Anfeuerungsrufen zu bombardieren und wie verrückt zu winken. Mann, war das peinlich, als sie immer wieder "Go, Yannick, go!" riefen.
"Wer ist das denn?", fragte Patrick.
"Kennichnich. Weiß nicht, was die von mir wollen."

Dass Patrick ihm nicht glaubte, was sonnenklar, aber für lange Erklärungen war jetzt keine Zeit. Der Gegner wartete darauf, von der Platte geputzt zu werden. Das war allerdings nicht so einfach. Schon nach sieben Minuten stand es 1:0 für Frankreich. Patrick und Josefine hatten selig geschlafen, als die Nummer 9 der Franzosen eine Bananenflanke auf Nummer 3 geschlagen hatte. Die 3 war nicht im Abseits gewesen und so schnell, dass sie am Ende allein vor dem deutschen Keeper stand. Nummer 3 wählte die lange Ecke und Mark konnte dem Ball nur noch hinterhersehen. Wütend trat der Torhüter gegen den Pfosten, musste dann aber rasch abschlagen, damit es keine Karte wegen Spielverzögerung gab.

Zur Halbzeitpause führte Frankreich immer noch mit 1:0.
"Do you want to be knocked out?", fragte Marty McNamara wütend, als sie bedröppelt in der Kabine saßen. Er erwartete keine Antwort und er bekam auch keine. Yannick vermutete, dass sie alle dasselbe dachten: Wie peinlich es wäre, wenn sie als Gastgeber schon im Viertelfinale rausfliegen würden.
Mit dem Mut der Verzweifelten stürmten sie in der zweiten Hälfte auf das gegnerische Tor. Motte gab Kevin eine Traumvorlage, und der schoss beinahe den französischen Keeper mit durchs Netz. Kurz vor Schluss gelang Kevin ein Lattenknaller, und Josefine, die aus dem Nichts auftauchte, spitzelte das Leder dem Keeper beim Nachschuss durch die Beine.
Eine Minute später wurde das Spiel abgepfiffen. Yannick sah aus dem Augenwinkel den leuchtend roten Schopf von Papas Freundin in der ersten Reihe auf und ab zappeln, und "Yannick, Yannick!"-Rufe drangen wieder an sein Ohr, aber er drehte sich weg. Wenn die beiden sich auf diese Art bei ihm einschleimen wollten, waren sie eindeutig auf dem falschen Dampfer.

Friend or Enemy?

Noch ein Spiel mussten sie gewinnen, um ins Finale einziehen zu können. Und Motte stand mit einem Haufen Plakaten vor ihm. Als hätten sie nichts Dringenderes zu tun!

"**Innocent** children are being **exploited**!"
"Your football was made by a **ten-year-old** child!"
"Unschuldige Kinder nähen sich an den WM-Bällen die Finger blutig!"
"STOPPT die Unterstützung von Kinderarbeit!"

"And what do you want to do with these **posters**?", fragte Yannick, dem schon Übles schwante.

---

innocent unschuldige
exploited ausgebeutet
ten-year-old zehnjährigen
posters Plakaten

"Our team will carry them **round** the pitch before the next match. Maybe when England plays against **Austria**."
Yannick stöhnte. "Motte, das ist eine Schnapsidee!" Er wusste beim besten Willen nicht, was das auf Englisch hieß. "We might be **kicked out** of the tournament. They could **decide** to **disqualify** the **whole** German team!"
"**Rubbish**!", meinte Motte kopfschüttelnd. "We only want **justice**. The championship is a great **opportunity** to tell people that **most** footballs are made by children."
"Okay – look, I understand that this **means** a lot to you. But it's going to **lead** to big **trouble**!"
"You're a coward, Yannick Busseleit! I **knew** it! Fine.

---

round rund um
Austria Österreich
kicked out rausgeworfen
decide beschließen
disqualify disqualifizieren
whole ganze
Rubbish! Unsinn!
justice Gerechtigkeit
opportunity Gelegenheit
most die meisten
means bedeutet
lead führen
trouble Ärger
knew wusste

I'll do it **on my own**." Beleidigt packte Motte ihre Plakate ein und ließ Yannick einfach im Flur stehen. "Go and ask your friend Bing, then, why don't you!"
Bing. Yannicks Angst vor ihm wurde immer größer. Im Viertelfinale hatte Bing Österreich praktisch im Alleingang besiegt. Zumindest hatte er alle vier Tore geschossen.
Ich muss an meinem Ballgefühl arbeiten, dachte Yannick. Irgendwas muss ich schließlich tun.
Er nahm seinen Fußball, der vielleicht von einem kleinen pakistanischen Mädchen genäht worden war, und ging vors Haus. Erst jonglierte er den Ball mit beiden Füßen. Rechts, links, rechts, links. Bei den ersten Versuchen fiel ihm der Ball dauernd auf die Straße. Als würde er das zum ersten Mal probieren! Dann schloss er die Augen, berührte sein Glücksstirnband und fing von vorne an. Und es funktionierte! Alle Gedanken waren ausgeschaltet; er konzentrierte sich nur noch aufs Zählen. Bei zweihundertvierzehn machte er einen Fehler, aber er hatte es geschafft! Er hatte Bings Rekord gebrochen!
Yannick dribbelte die Straße entlang und versuchte sich selbst auszuspielen. Drehte sich um die eigene

---

on my own alleine

Achse, flitzte hierhin, dann dorthin und nach einer weiteren eleganten Drehung sah er den Ball plötzlich nicht mehr. Irritiert blickte er sich um. "Hey! Over here!" Tony Bingham hatte den Ball am Fuß kleben und winkte Yannick zu.

Yannick zögerte keinen Moment und rannte hinterher. Er kam näher und es gelang ihm, Bing den Ball wieder vom Fuß zu spitzeln. Bing grinste anerkennend und bis zum Ende der Straße gaben sie sich gegenseitig Vorlagen, bis Bing mit dem letzten Schuss den Telefonkasten abschoss, der am Ende des Wendekreises auf dem Bürgersteig stand.

"Gooooaal!", jubelte er und machte *High five* mit Yannick, der irgendwie noch gar nicht glauben konnte, was gerade passiert war. Er hatte mit dem Feind gemeinsame Sache gemacht.

Beim Stichwort Feind fielen dem kleinen Teufelchen auf Yannicks Schulter jedoch Oma Roses Worte wieder ein: "Give your enemy a false sense of security – and then strike!"

Wenn Bing jetzt so nett zu ihm war, würde er ihn vermutlich restlos fertigmachen, falls sie bei der WM noch aufeinandertrafen. Dazu müsste Deutschland allerdings erst einmal Brasilien schlagen – und das dürfte hart werden, weil die Brasilianer wirklich sehr spielstark waren. Da würden alle zu kämpfen haben, denn nicht nur Yannicks Gegenspieler war offenbar mit dem Ball am Fuß geboren.

"Tell me, what is your problem with me?", riss Bing ihn aus seinen Gedanken. "You always look **cross whenever** I see you."
Was sollte Yannick darauf antworten? Ich habe Angst vor dir, weil du zu gut bist? Ich kann nicht ertragen, dass Motte auf dich steht?
"I'm not your enemy, Yannick. We're just two boys who love playing football. It's **a shame** we play in **different** teams. Together we'd be **unbeatable**." Er schoss Yannick den Ball zu und sie jagten die Straße wieder hoch.
Irgendwann setzten sie sich keuchend auf die Bordsteinkante.

"You **came** here with a big team, **didn't you**? Not only players and coaches. Aren't there **some** other adults who came to watch your team play in the championship?" Wenn Yannick sich schon mit Bing unterhielt, wollte er wenigstens versuchen, mehr über die beiden finsteren Männer in Erfahrung zu bringen.

---

cross böse
whenever jedesmal, wenn
a shame schade, dass
different verschiedenen
unbeatable unschlagbar
came bist gekommen
didn't you? nicht wahr?
some einige

"Sure. Some **officials** came with us too."
"Do you know a man who wears a **suit** and **sounds as if** he has **bad** asthma?"
"All our officials wear suits. But **yeah**, I think there is one man who seems to have **breathing problems**. He **kind of whistles** when he speaks."
Bingo! Das könnte der Mann sein!
"Why are you asking about him?", fragte Bing nach.
Yannick war nicht sicher, was er sagen sollte. Die Wahrheit? Und wenn Bing doch irgendwie mit drinsteckte?
"He said he didn't want to disappoint 'our Royal Highness'. And I wondered what he **meant by it**."
"Well, that he wants us to win the World Cup, of course!"
"Ah, sure. Okay."
Logisch irgendwie. Doch erst als Bing es jetzt laut aussprach, fiel bei Yannick der Groschen.

---

officials Funktionäre
suit Anzug
sounds klingt
as if als ob
bad schweres
yeah ja
breathing problems Schwierigkeiten beim Atmen
kind of sozusagen
whistles pfeift
meant by it damit gemeint hat

The Matchmaker

"Papa möchte wissen, wieso du dich neulich nach dem Spiel verkrümelt hast, ohne ihn überhaupt zu begrüßen", flüsterte Mama und hielt Yannick den Telefonhörer hin.
"Warum wohl?", maulte Yannick und ging achtlos an ihrem ausgestreckten Arm vorbei, hoch in sein Zimmer.
"Was glaubst du wohl? Der Junge wird auch jetzt nicht mit dir sprechen." Mama machte am Telefon eine Pause. "Ja, genau, und ich unterstütze das auch noch, stell dir vor!" Sie knallte den Hörer auf und Yannick hörte sie weinen. Langsam ging er die Treppe wieder hinunter.
"Tut mir leid", sagte er. "Aber ich ertrage dieses Knutschi-Knutschi-Getue von den beiden einfach nicht. Voll peinlich ist das." Mama weinte noch lauter, und ihm ging auf, dass sie das wahrscheinlich erst recht nicht hatte wissen wollen.
"Sorry. Ich bin ein Volltrampel." Ungeschickt legte er seinen Arm um sie.
"Du kannst doch nichts dafür, Schatz." Mama putzte sich geräuschvoll die Nase. "Das Leben ist eben so. Ein Kommen und Gehen." Sie versuchte einen Lacher, der allerdings missglückte.

---

matchmaker Ehestifter

Yannick schaute sie forschend an. “Vielleicht solltest du auch mal wieder jemanden kennenlernen?”
“Wie soll das denn gehen? Ich arbeite doch rund um die Uhr. Und außerdem will ich nicht enttäuscht werden.”
“No **risk**, no fun, Mum!” Yannick grinste und wusste doch, dass er den Mund ganz schön voll nahm, denn er hätte ja auch schon mal was riskieren können. Bei Motte. Aber er hatte sich nicht getraut. Aus demselben Grund wie seine Mutter.
Yannick dachte an sein Fußballtraining.
“Hast du gar nicht bemerkt, wie Marty McNamara dich neulich angesehen hat?”
Als Mama ihn ins Trainingslager gebracht hatte, hatte sie Marty kennengelernt und sich eine Weile mit ihm unterhalten. Yannick und Motte hatten sich noch darüber lustig gemacht, wie ihr Trainer seine Mutter angestarrt hatte. Und Mama hatte gekichert wie schon lange nicht mehr.
“Meinst du wirklich?” Mama bekam diesen seltsamen Glanz in den Augen, den er so vermisst hatte.
“Ich *meine* nicht, ich *weiß*!”, sagte Yannick bestimmt. “Wart’s mal ab.”
Er drückte seiner Mutter einen Kuss auf die Wange, flitzte nach oben in sein Zimmer, fuhr seinen Rechner hoch und suchte in den Mailkontakten nach der Adresse von Marty McNamara.

---

risk Risiko

Er klickte auf ***compose*** *mail* und schrieb

Dear Marty,

Er starrte auf den Monitor. Tja, und nun?

I've just had an idea. I'm sure we're going to win the championship, and I think that, when we do, we should **ce-lebrate**.

Hm. Und wenn sie doch nicht Weltmeister wurden? Rasch fügte er hinzu:

Even if we don't win, I think we should celebrate **anyway**, because we can be **proud** that we **got** this far. I'd like to help **organise** a party, and my mo-ther wants to **support** us too. She makes the best **potato salad** in the

---

compose verfassen
dear lieber
celebrate feiern
anyway sowieso
proud stolz
got gekommen sind
organise organisieren
support unterstützen
potato salad Kartoffelsalat

world! Maybe you could **meet** her to **discuss** the **arrangements**?

Oder war das zu dick aufgetragen? Wenn er sich nicht völlig geirrt hatte, was Martys Blicke anging, dann würde dieser die Gelegenheit wahrnehmen, sich mit ihr zu treffen, Partyvorbereitungen hin oder her.

I'll give you my mother's email address so you can **contact** her:
musicfairy@web.de
Her name is Maria.
CU - Yannick

Also, *noch* leichter konnte er es seinem Trainer nicht machen!
Er klickte auf *send mail.* Nur nicht zu lange drüber nachdenken! Was weg war, war weg.

Yannick hätte das natürlich niemals getan, wenn er Marty nicht mögen würde. Hätte Horst Tretmühl seine Mutter so angesehen, hätte er ihm mit Sicherheit keine Mail geschickt.

---

meet treffen
discuss besprechen
arrangements Planungen
contact kontaktieren

Das Frankreich-Spiel war relativ einfach gewesen. Da merkte man eben, wer ein ganzes Turnier konditionell durchstehen konnte und wer nicht, hatte Horst Tretmühl danach gesagt.
Doch das Spiel gegen Brasilien hatte Yannick schlaflose Nächte beschert, und das völlig zu recht, wie sich jetzt im Stadion herausstellte: Die Brasilianer waren einfach überall. Als wären nicht zehn Spieler auf dem Platz, sondern vierzig. Und drei Torhüter.
Die deutsche Mannschaft war am Ende ihrer Kräfte, sie kämpften wie verrückt und trotzdem war ihnen noch kein Tor gelungen. Allerdings hatten sie auch keins hineinbekommen. Mark war wirklich über sich hinausgewachsen.

Zum ersten Mal bei dieser Weltmeisterschaft ging ein Spiel in die Verlängerung. Dabei konnten doch sowieso alle schon nicht mehr.
"Today it's going to be the team that's in the best shape that wins", sagte Marty und half Horst Tretmühl und dem Mannschaftsarzt dabei, den Spielerinnen und Spielern vorsorglich die Waden zu massieren.
"Motte, the **Brazilians** are going to beat us", flüsterte Yannick, der wie ein Käfer neben Motte auf dem Rücken lag und keuchte.

Brazilians Brasilianer

"Stop it, Yannick! You**'ll drag** me **down** with your **pessimism**. We *will* win, do you hear me?"
Lieb von Motte, dass sie versuchte ihn aufzumuntern, aber er glaubte es trotzdem nicht.
Als könnte sie seine Gedanken lesen, sagte sie: "You shouldn't just believe what I say, you should be **convinced** we're going to win! **Touch** your headband!"
Mottes Worte wirkten wahre Wunder. Oder war es die Massage gewesen? Jedenfalls fühlte sich Yannick viel sicherer und frischer, als das Spiel wieder angepfiffen wurde. Ein paarmal wurde es verdammt eng für Mark, als zwei Brasilianer durch die Abwehrketten brachen und auf den deutschen Kasten hämmerten, aber Mark war in Traumform, und so überstanden sie auch die Verlängerung. Leider immer noch, ohne selbst ein Tor zu schießen.
Yannick sprühte sich eine ganze Wasserflasche ins Gesicht, so kaputt war er. Sein Kopf musste knallrot sein und in seinen Ohren rauschte es. Er hatte noch nie von einem Hirnschlag bei einem Zwölfjährigen gehört, aber so, wie er sich fühlte, stand er kurz davor. Er setzte sich auf die Wiese, und nur ganz, ganz langsam beruhigte sich sein Puls.

---

will drag down wirst runterziehen
pessimism Pessimismus
convinced überzeugt
touch berühre

Da wurden auch schon die ersten Schützen für das Elfmeterschießen auf den Platz gerufen.
Wie in Zeitlupe lief er über den Rasen und stellte sich zu den anderen in die Mitte.
Den ersten Schuss hatten die Brasilianer und verwandelten ihn sicher. Mark konnte dem Ball nur hinterhersehen.
Dann trat Patrick an und schob dem brasilianischen Keeper das Leder cool durch die Beine hindurch.
Der nächste Brasilianer verschoss – knapp über die Latte.
Yannick knetete seine Finger, denn er war der nächste Torschütze. Er konnte es locker angehen – sie hatten durch den Fehlschuss der brasilianischen Nummer 5 sowieso einen Vorsprung.
Und dann sah Yannick es *zu* locker. Er schoss dem Torwart den Ball direkt in die Arme … Yannick wäre am liebsten auf Grashalmgröße geschrumpft.
Er schlich mit gesenktem Kopf zum Spielfeldrand und sah sich die restlichen Torschützen gar nicht mehr an. Wenn Deutschland durch seine Schuld aus dem Turnier flog, wollte er lieber nicht hinsehen.
Erst als Jubel aufbrandete und anhielt, schaute er wieder hoch. Keine Sekunde zu früh, denn Motte und die anderen kamen auf ihn zugestürmt, schubsten ihn um und stapelten sich auf ihm. Er bekam keine Luft mehr, aber das war egal – sie waren im Finale!

Plans and Advice

"Yannick, kommst du mal?" Seine Mutter saß an ihrem Computer in der Wohnzimmerecke und deutete mit fragender Miene auf den Bildschirm.

Dear Maria,
I really **appreciate** it that you**'ve offered** to support our team by helping to **prepare** food for the championship party. We're meeting tomorrow at 3.30 p. m. to discuss the arrangements. It would be great if you could join us.

Yannick fühlte sich von Mamas Blicken durchbohrt.
"Ich glaube, mir fehlt da eine wesentliche Information."
Yannick grinste. Das lief ja besser als geplant!
"Wir hatten doch abgemacht, dass ich mir was überlege. Wenn die WM erstmal vorbei ist, wird es viel schwieriger, an Marty heranzukommen."
"Aber, dass ich einen Auftrag fertigbekommen muss und gar keine Zeit habe, ein Buffet vorzubereiten, ist dir schon klar, oder?"

---

advice Rat
appreciate schätze
have offered angeboten hast
prepare vorbereiten

"Aber Mum, willst du dich denn ewig in deiner Arbeit vergraben? Du musst mal wieder mehr unter Leute."
"Das wird doch nichts. Ich hab jedenfalls nichts davon bemerkt, dass ich deinem Trainer irgendwie aufgefallen bin."
"Weil du gar nicht mehr richtig hinguckst. Marty hätte wahrscheinlich mit einem 'I love you!'-Plakat vor dir stehen können, und du hättest es nicht bemerkt."
Yannick freute sich, dass er seine Mutter wenigstens zum Lachen bringen konnte, schnappte seinen Ball und flitzte raus auf die Straße.

Dabei wäre er beinahe Mottes Mutter vor das Auto gelaufen.
"Hey Yannick!", rief Tony Bingham aus dem heruntergekurbelten Fenster. "Are you trying to kill yourself? It's not the best way of getting out of the final, you know!"
Mottes Mutter wartete, damit Bing und Motte aussteigen konnten, bevor sie in die Garage fuhr.
"Or are you really so afraid of my **football skills**?"
Bing kicherte und Motte stimmte ein.
Eben noch hatte sich Yannick über seinen Coup in Sachen Mama und Marty gefreut – aber die gute Stimmung war wie weggeblasen. Denn leider hatte

---

football skills Fußballkünsten

Bing völlig recht. Umbringen wollte er sich natürlich nicht, aber die Blamage wegen des verschossenen Elfers saß noch tief. Obwohl alle am Ende mit ihm gejubelt hatten – er war derjenige gewesen, der ihren Sieg aufs Spiel gesetzt hatte. Wenn er nun im Finale wieder versagte …

"Do you support our **fight** against **child labour**?", fragte Bing in seine Gedanken hinein.

"Pardon?" Yannick dachte, er hätte sich verhört. *Unser* Kampf gegen Kinderarbeit?

"**As far as** I know, it's *Motte's* fight against child labour!" Mist, das kam zickiger rüber, als es sollte.

"But she can't do it on her own. She needs help! **The more** people support her, **the more successful** the **campaign** will be."

"Do you really think that it **will stop** even one ball **being sold** if you walk **around** the pitch with **those** posters?" Yannick stemmte die Hände in die Hüften und sah Bing angriffslustig an. Eigentlich fand er

---

fight Kampf
child labour Kinderarbeit
as far as soweit
the more … the more successful je mehr … desto erfolgreicher
campaign Kampagne
will stop verhindern wird, dass
being sold verkauft wird
around um
those diesen

Mottes Idee gut, auch wenn er sich nicht vorstellen konnte, dass es wirklich etwas brachte. Aber die Art, wie Bing das Ganze jetzt auch zu seiner Sache machte, ließ Yannick kaum eine andere Wahl als sich dagegenzustellen.

Er hatte die Rechnung jedoch ohne Motte gemacht: "If we don't try it, we'll never know if it works or not." Und dann schaute sie ihn wieder mit ihrem Hundeblick an. Was konnte er da noch entgegnen? Wenn Bing bloß nicht so lauernd gucken würde!

"When are you going to do it?", knurrte er, und an Mottes Strahlen konnte er sehen, dass er ein Weichei war und schon verloren hatte.

"Right before the final!"

"Are you crazy? We'll need all our **concentration** then! Or do you want us to lose against England? Was this Bing's brilliant idea?" Yannick hätte am liebsten in seinen Ball gebissen, so sauer war er.

"I can hear you, you know!", sagte Bing grinsend neben ihm. "Our team's going to carry some posters too. We'll all walk **twice** around the pitch. There'll be a lot of **photographers there**, so it'll have a big-

---

concentration Konzentration
twice zweimal
photographers Fotografen
there dort

ger **effect**. Think about the **headlines**: *International* ***cooperation*** *against child labour*!"

Yannick überlegte. Wenn wirklich beide Mannschaften daran teilnehmen würden, hätten beide denselben Nachteil.

"If they want to disqualify somebody", meinte Motte, "they'll have to kick out **both** teams! They won't do that, because then there'd be no one to play the final match."

Nun musste Yannick doch grinsen. "**Good thinking.** But what if the officials try to stop you?"

"Then we**'ll take** the **referee hostage**!" Motte gluckste.

"You are completely crazy. But you've obviously thought about everything that could **go wrong**. Okay, I'll join you." Diesem verrückten Huhn konnte Yannick einfach nichts abschlagen.

Halbherzig kickten die drei den Ball hin und her, um ja jedes Verletzungsrisiko zu vermeiden.

---

effect Wirkung
headlines Schlagzeilen
cooperation Zusammenarbeit
both beide
Good thinking. Gut überlegt.
referee Schiedsrichter
will take hostage werden als Geisel nehmen
go wrong schiefgehen

“Oh, by the way”, sagte Bing plötzlich. “I saw Mr Rumford yesterday.”
“Who’s Mr Rumford?”
“The man with the asthma. I saw him in the **stadium**. He was talking to the man who’s going to **referee** the finals. Mr Rumford was trying to give him a lot of money, but the referee **refused** to take it. Mr Rumford seemed to be pretty angry.”
“What could that mean?” Yannick versuchte, einen Sinn in Tonys Worte zu bringen.
“No idea. But then a bit later, during the **team conference**, I asked him what he wanted to do so *Her Royal Highness* wouldn’t be **disappointed**.”

Yannick hielt den Atem an. “What did he say?”
“At first he just seemed **confused**. But then he smiled and said: ‘I can’t do anything about that – you’ll just have to play brilliantly, Tony!’”
Eigentlich war das logisch. Und doch fragte Yannick sich, weshalb die beiden Männer auf der Tribüne gesagt hatten, dass für einen englischen Sieg gesorgt werden musste. Irgendetwas stimmte hier einfach nicht.

---

stadium Stadion
referee Schiedsrichter sein bei
refused hat sich geweigert
team conference Mannschaftssitzung
disappointed enttäuscht
confused verwirrt

"But **since then** he**'s been looking at** me strangely. As if he's watching me." Bing runzelte ein wenig die Stirn.
Jetzt hatte niemand mehr Lust zu spielen. Da sah Yannick Oma Rose in ihrem Vorgarten, ließ Motte und Bing stehen und schlenderte zu ihr hinüber.
"Can I help you?", fragte er, als er sah, wie sie sich mit ihrer Gießkanne abmühte.
"Hello, Yannick! Yes, I'd appreciate it!"
Yannick schlüpfte durch die Gartenpforte, nahm Oma Rose die Kanne aus der Hand und begann die Blumen zu wässern.
"Don't forget: **water** the **roots**, not the leaves!", sagte sie mahnend, als er sich nicht tief genug bückte und die Rosenblätter nass wurden.
Die Kanne war rasch leer und er befüllte sie erneut am Gartenwasserhahn.
"Tell me, why are you looking so sad?", fragte Oma Rose plötzlich und sah ihn besorgt an. "Does it have something to do with your enemy?"
Im ersten Moment war Yannick irritiert, doch dann fiel ihm das Gespräch von neulich ein. "Yes … no … Well, I'm not really sure if there is an enemy **at all**.

since then seitdem
has been looking at hat angeschaut
water wässere
roots Wurzeln
at all überhaupt

Or maybe there are different enemies … I just don't know."

"Do you want to talk about it? Maybe I can help you."

Eigentlich hatte Yannick über gar nichts mehr nachdenken wollen und reden wollte er schon gar nicht. Einfach noch das letzte Spiel machen und fertig. Doch ganz offensichtlich sah man ihm an, dass es in ihm brodelte.

"I think that **someone**'s planning to **fix** the final match in the World Football Championship. But I do**n't** have **any proof**, and I've really no idea how they would do it."

"Ah, your football tournament! It's **nearly over** now, **isn't it?**"

"Yes. One last game. Germany against England."

"And the winner gets an ugly bowl?"

So konnte man es natürlich auch sehen. Yannick lächelte.

---

someone jemand
fix manipulieren
not any proof keine Beweise
nearly fast
over vorbei
isn't it? nicht wahr?

"Yes. And the **honour** of being the world champion. That's **worth** much more."
"I understand. What about money?"
"We don't get any money. And the **football association** doesn't either. We're just children. I don't see why anyone would **bother** to fix it for nothing."
"What about bets?", fragte Oma Rose.
"Bets?"
"Yes. I don't know how it is in Germany, but in Britain there are **betting shops** on every corner. And you can bet on everything: **whether** Queen Elizabeth will wear a green or a red hat for her **birthday**

honour Ehre
worth wert
football association Fußballverband
bother sich die Mühe machen
betting shops Wettbüros
whether ob

parade; what the weather will be on a **certain** day; and you can **definitely** also bet on who will win the Children's World Football Championship."

"Ah." Yannick war sich nicht sicher, ob er es richtig verstanden hatte. Man konnte darauf wetten, wer die Kinder-WM gewann?

Er holte die nächste Fuhre Wasser, während Oma Rose an einer gerade aufgeblühten weißen Rosenblüte schnupperte.

Yannick fragte lieber nochmal nach. "If I go to a betting shop and say I think Germany will win, what do I have to do then?"

"You pay them some money. Ten **euro, for example**. It **depends on** how much you want to **spend**. But if Germany did win, I don't think you would get much money back."

"Why?" Yannick kannte niemanden, der wettete, und konnte sich nicht vorstellen, wie das ablief.

"Because Germany are the **favourites**, aren't they?

---

birthday parade Geburtstagsparade
certain bestimmten
definitely mit Sicherheit
euro Euro
for example zum Beispiel
depends on kommt darauf an
spend ausgeben
favourites Favoriten

You have to bet on an **underdog**. **The more unlikely** it is that somebody will win, the more money you'll get back, because nearly **everyone** will bet on the favourites. If you're the only one betting on the underdog, you'll get a lot of money because you won't have to **share** it with others."
Langsam begann Yannick zu verstehen.
"And the **higher** the **stakes** are, the more money you get back?"
"That's right. But if you play for high stakes, you can lose a lot of money as well."
Yannick schüttelte die letzten Tropfen aus der Kannentülle.
"Could **you imagine** officials from the English team might **place** a bet like that?"
"Of course! I don't suppose it would be the first time."
Sie wiegte ihren Kopf hin und her.
"But if they do that, they have to do everything they can to make sure their team wins", überlegte Yannick.

---

underdog Außenseiter
the more unlikely je unwahrscheinlicher
everyone jeder
share teilen
higher höher
stakes Einsätze
you imagine du dir vorstellen, dass
place abschließen

"If they don't want to lose their money, then yes, it's definitely in their **interest**!"

"Even if what they do is illegal?"

Oma Rose verschränkte die Arme vor ihrem gigantischen Busen und beugte sich zu Yannick hinunter.

"**I'm afraid** that's **life**, Yannick. I've seen many things. The world is **governed** by **lies**, and it's getting **worse** every day." Sie seufzte tief, und Yannick hatte den Eindruck, als hätte sie grad noch mehr Falten bekommen.

Mit dem, was Oma Rose gesagt hatte, ergaben die Worte der beiden Männer endlich einen Sinn für Yannick. Natürlich konnte die Idee mit der Wette auch ganz falsch sein, doch falls nicht, war klar, weshalb die Engländer unter allen Umständen gewinnen sollten. Nicht nur, um die Queen nicht zu enttäuschen …

Doch was wollten die Männer tun? Eigentlich mussten sie nur dafür sorgen, dass er, Yannick, von Anfang an spielte. Dann hätte Bing es leicht, und vermutlich stünde es schon in der ersten Halbzeit 5:0 …

---

interest Interesse
I'm afraid ich fürchte
life Leben
governed regiert
lies Lügen
worse schlimmer

"There's something **else on your mind**, isn't there?", fragte Oma Rose ihn und da bemerkte Yannick erst, dass er die ganze Zeit mit der leeren Gießkanne herumstand und Löcher in die Rosenblüten starrte.
Konnte die alte Dame Gedanken lesen?
"Erm, I'm not sure", stammelte er. Er hatte das noch niemandem gesagt. Aber bei Oma Rose war die Gefahr, dass sie es weitersagte, wohl ziemlich gering, also gab er sich einen Ruck.
"I'm afraid of playing in the final. Bing –", er deutete auf die andere Straßenseite, "is a very good striker. Much better **than** me. And I **missed** the **penalty** in the last game."
"Nobody's perfect, Yannick. Don't be afraid – **follow** your heart!", sagte Oma Rose, lächelte und strich Yannick über den Kopf.
Gut, dass das niemand gesehen hatte!
"Thanks. I'll think about it", sagte er. "I have to go and help my mother now." Er ging zur Gartenpforte.
"Good luck!" rief Oma Rose ihm nach. "Things are never as bad as they seem, you know!"

---

else anderes
on your mind das dir auf der Seele liegt
than als
missed habe verschossen
penalty Elfmeter
follow folge

An Accident?

Yannick sah, dass Motte und Bing inzwischen wieder den Fußball hin- und herschoben und dabei redeten. Yannick rannte über die Straße, in der Hoffnung, dass die beiden ihn gar nicht bemerken würden. Und da passierte es: Er verfehlte den gegenüberliegenden Bordstein und stolperte!

Das hatten Bing und Motte offenbar mitbekommen. Als die beiden auf ihn zugerannt kamen, rief Yannick: "Au, au, das tut so weh!" Er erschrak selbst über die Worte, die aus seinem Mund kamen.

"What happened?", fragte Bing.

"My **ankle**! I **tripped** over the **edge of the pavement**!"

Als er Mottes besorgtes Gesicht sah, schämte Yannick sich fürchterlich, aber jetzt konnte er nicht mehr zurück. Mottes Knöchel war ja auch nicht dick gewesen und sie hatte trotzdem gehumpelt. Wer sollte ihm da unterstellen, dass er nur markierte und sich um das Finale drücken wollte? Es war einfach passiert.

Motte fasste vorsichtig auf seinen Knöchel.

"Ouch! Are you crazy?"

---

accident Unfall
ankle Knöchel
tripped bin gestolpert
edge of the pavement Bordsteinkante

"Let me help you", sagte Bing, und die beiden halfen ihm auf die Füße.
"It's okay, it doesn't hurt that much", wehrte Yannick ab, aber sie ließen ihn nicht los, bis er im Haus war, und nun machte sich auch noch seine Mutter Sorgen!
"Yannick! Was ist passiert?"
"Nix, alles okay."
"It's not okay! You can't play tomorrow!", mischte sich Bing ein.
"I will play!", knurrte Yannick.
"Let me **get** you a cool pack!", meinte Mama.
Er zuckte zusammen, als sie das blaue Gelkissen auf seinen Knöchel legte, aber nur, weil es so kalt war. Denn sein Knöchel tat wirklich kein bisschen weh.
Bing sah ihn seltsam an. Ob er etwas ahnte?
"But who'll take your **place** tomorrow? I need a real **challenge**. An **equal** opponent! We don't want to win with an unfair **advantage**."
Yannick glaubte Bing. Er steckte in der Sache bestimmt nicht drin – wenn es denn überhaupt eine "Sache" gab. Er musste das unbedingt herausfinden, bevor es – warum auch immer – zu spät war.

---

get holen
place Position
challenge Herausforderung
equal ebenbürtigen
advantage Vorteil

"Bing, can you imagine that your Mr Rumford ..." Yannick wusste nicht recht, wie er den Satz beenden sollte, und fing noch einmal von vorne an. "Do you think Mr Rumford has placed a bet on the English team?"

Bing lachte. "Well, I'm sure that if he has placed a bet, he won't have betted on Germany."

Yannick schüttelte den Kopf. "I'm not joking. I'm talking about high stakes and high risk."

Bing schüttelte energisch den Kopf. "Oh, no! Not Mr Rumford! I don't think he has any money at all. He **used to have** a wife and a big family, but he **got divorced**, and now all his money goes to them. I'm sure he doesn't have any money **left over** for **risky** bets."

"But what about the money he wanted to give to the referee?"

"**True**... Well, but maybe it wasn't his money. Maybe he **was** just **handing** it **over** for someone else."

Yannick war enttäuscht. Er hatte wirklich geglaubt, er sei der Sache auf die Spur gekommen, aber wenn Mr Rumford gar kein Wettgeld übrig hatte, konnte er diese Theorie wohl abhaken.

---

used to have hatte mal
got divorced hat sich scheiden lassen
left over übrig
risky riskante
True. Stimmt.
was handing over hat übergeben

"Are you still thinking about what those two men were saying?", schaltete Motte sich ein. "I told you, it was a perfectly normal conversation."
"And I told you that you didn't hear **the *way*** they said it! If you had, you'd think differently about it!" Yannick wollte aufstehen und herumlaufen, weil er dann besser denken konnte, doch ihm fiel noch rechtzeitig ein, dass das jetzt nicht ging, wenn er vor den anderen nicht als Lügner und Betrüger dastehen wollte.
Was hatte Oma Rose gesagt? – "The world is governed by lies." Sie hatte damit die Erwachsenen gemeint, aber er war kein bisschen besser.
Bing hatte eine Weile nichts gesagt und stattdessen ein Glas von der Limo getrunken, die Yannicks Mutter hingestellt hatte. Er starrte in das Glas, als wäre auf dem Grund die Antwort zu finden. Und irgendetwas musste dort auch gestanden haben. "Maybe Mr Rumford **can**'t **afford** to place a risky bet. But what if someone else is behind it? Someone who does have money?"
"Listen – we need to know more about it first. Then we can decide what to do. Until then, we should stop worrying about an ordinary conversation." Wenn Motte ein Machtwort sprach, gab es nicht mehr viel

---

the way wie
can afford kann es sich leisten

dazu zu sagen, doch Yannick merkte sich genau, welchen Verdacht Bing grade geäußert hatte – "What if someone else is behind it?"
"First, we need to do something about Yannick's foot!", verkündete Motte.
Yannicks Mutter schaltete sich ein: "We can go to the doctor **straight away**. I just called him."
"Don't worry about my ankle. I'm sure it'll get better **soon**. **I'll sleep on it**; it'll be okay", sagte Yannick.
"I can't believe that", meinte Bing skeptisch. "But you know what's **best** for you. And I'll see if I can find Mr Rumford in the **meantime**. Maybe later **I'll be able** to tell you more."

"I'll join you. Is that okay, Yannick?" Motte sah ihn treuherzig an. Yannick hätte sich am liebsten dafür in den Hintern gebissen, dass er diese Show mit dem verletzten Knöchel abzog!
"Yeah, please go. But **take care of yourself.** They might be dangerous."
Motte grinste. "I'm dangerous, too. They'd better not try anything with me!"

---

straight away sofort
soon bald
will sleep on it werde darüber schlafen
best am besten
meantime Zwischenzeit
will be able werde können
Take care of yourself. Pass auf dich auf.

Two's Company, Three's a Crowd

"Yannick, Telefon!"
Er lief die Treppe hinab und es fiel ihm noch rechtzeitig ein, in Sichtweite seiner Mutter zumindest ein bisschen zu humpeln.
Es war Bing. Er rief von seinem Handy aus an.
"Yannick, you **were right**! We just saw Mr Rumford again with one of the other referees. He **gave** him a big **wad** of money!"
"Did the referee take it?"
"Yes, he did. But he's not the referee for the final."
Was hatte das nun wieder zu bedeuten?
"Where's Motte?"
"She's watching them from the other **side**. Oh, shit, they're moving towards her. I have to **hang up** now!"
Es klickte im Hörer, und weg war die Verbindung.
So ein Mist! Hoffentlich war Motte nicht in Gefahr! Hätte er die dämliche Idee mit dem Knöchel nicht gehabt, wäre er jetzt dort und könnte sie beschützen!

Two's company, three's a crowd. Drei sind einer zu viel.
were right hattest recht
gave hat gegeben
wad Bündel
side Seite
hang up auflegen

Er zappelte auf seinem Stuhl herum und hoffte inständig, dass den beiden nichts passierte. Es machte ihn schier wahnsinnig, dass er nichts tun konnte. Als es etwas später an der Tür klingelte, musste er sich sehr beherrschen, um die Treppe nicht hinunterzurasen.

Mama ließ die beiden herein und kurz darauf standen sie in Yannicks Zimmer.

"**Thank God!**", entfuhr es ihm. "You're okay!"

"I nearly had a **heart attack**, but if you call that okay ...", maulte Motte.

"Please tell me everything from the **beginning**!", bat Yannick.

"Well, nothing happened in the beginning."

Yannick stöhnte. "From when the action started, **silly**."

"You're being really **demanding** today! All right. The first person we saw was the referee. He was just sitting there, looking at his watch from time to time."

"Then Mr Rumford arrived", schaltete sich Bing ein, dem Mottes Bericht wohl zu langatmig war. "He was

---

Thank God! Gott sei Dank!
heart attack Herzinfarkt
beginning Anfang
silly Dummerchen
demanding anspruchsvoll

looking all around him, as if he was afraid of being watched."

Motte nickte. "They went around the corner together, and Bing and I **hid** behind a bush where we could see them." Motte grinste und Yannick gab es einen Stich. Er wollte sich Motte und Bing nicht gemeinsam in einem Gebüsch vorstellen.

"Then we saw Mr Rumford with the money, as we told you **on the phone**. His asthma sounded much worse than **usual**. Maybe he was **excited**. We didn't understand a word of what he was saying."

"What else?"

"We **split up**. I stayed behind the bush", sagte Motte. "Bing **sneaked round** the corner to listen to what they were talking about. But just then they decided to move. They came towards me, and I **wished I'd worn** my green shirt **instead of** the red one." Motte schnaufte. Offenbar erinnerte sie sich noch genau an das Gefühl.

---

hid haben uns versteckt
on the phone am Telefon
usual gewöhnlich
excited aufgeregt
split up haben uns getrennt
sneaked round ... ist um ... geschlichen
wished wünschte
had worn hätte getragen
instead of anstatt

"But then they stopped right in front of the bush. Mr Rumford asked, 'So I can **trust** you?', and the referee said: 'Don't worry – I'll do everything I can. And **afterwards I'll go away** for a **while**.'"

Yannick hasste es, recht zu behalten, aber dass da etwas nicht mit rechten Dingen zuging, war inzwischen sonnenklar.

"That is definitely not an ordinary football conversation", stellte er fest.

Motte sah ihn an. "I'm sorry I didn't believe you before. Maybe we **could have done** something about it earlier. But now it's too late."

"No, it isn't! The match is**n't** over **yet**. We have to find some proof, and then call the **police**. Or the football association officials." Yannick hatte vor lauter Eifer rote Wangen bekommen.

Bing brachte ihn auf den Teppich zurück. "That's the problem. How can we **prove** it? And when? It's much too late for that – the final's tomorrow."

---

trust vertrauen
afterwards danach
will go away werde weggehen
while Weile
could have done hätten tun können
not yet noch nicht
police Polizei
prove beweisen

"And we wanted to have our demonstration against child labour right before the match", erinnerte Motte die beiden.
Yannick verdrehte die Augen, aber so, dass Motte es nicht sah. Das war doch nun wirklich unwichtig, angesichts dieses Bestechungsskandals.
"I've got an idea!" Bing sprang plötzlich vom Stuhl auf. "We're so stupid!" Er schlug sich die Hand vor die Stirn. "We have to talk to the first referee! What was his name – Mr Brunello! He refused to take the money, so he knows what it was for!"
Motte rieb sich die Nase. "There's one thing I really don't understand. We have two referees, but only one is needed for the final. So why two? What's happened to the other one?"
"Remember? The man who's organising it all said to Mr Rumford: 'If he doesn't want to play our game, he has to disappear! If you don't manage it, you'll have to live with the consequences. If you're still alive, that is.'"
Die drei sahen sich betreten an. Entweder sie waren mit all ihren Überlegungen voll auf dem Holzweg, oder Mr Brunello war tatsächlich in großer Gefahr.

Heroes

Als der Wecker klingelte, hatte Yannick Kopfschmerzen. Beim Frühstück brachte er kaum einen Bissen herunter.
Und schon bald stand er bei Motte vor der Tür.
"Do you really want to come with us? It would be better for you to sit and **rest** your ankle!", sagte Bing zur Begrüßung.
"It's much better today!" Yannick hätte am liebsten gleich alles gebeichtet, traute sich jedoch nicht.
So tauchte er, leicht hinkend, mit einem Verband um den Knöchel bei der Mannschaftsbesprechung auf. Marty McNamara war stocksauer.
"Why did you come? You should have stayed at home with your foot on a pillow!" Marty rannte herum wie ein Tiger im Käfig. "And why didn't you tell us about it yesterday? Do you think we have another striker like you sitting on the substitutes' bench?"
"I'm sure there must be a **solution**", flüsterte Yannick, machte Marty damit aber noch wütender.
"Oh, yes! Why don't we just **borrow** Bing from the English team? Solution! Pah!"
Yannick ließ ihn wüten. Marty hatte ja recht.

---

rest schonen
solution Lösung
borrow ... leihen uns ... aus

"All of you, stay here till the **kick-off**! Otherwise my whole team is going to end up **either** hurt **or** lost!"
"No, you can't do this!", jammerte Motte, die an die Plakate dachte, die sie in den Raum neben der Umkleidekabine geschmuggelt hatte. Natürlich hatte niemand die Trainer oder einen anderen Erwachsenen eingeweiht, weil ihre Demonstration gegen Kinderarbeit sonst sofort verboten worden wäre. Einer konnte sich vielleicht noch wegschleichen, aber nicht die gesamte Mannschaft.
"Shit, shit, shit!", murmelte sie.
Doch Yannick sprang ein: "We've got an **appointment** with the English team."
Motte rammte ihm den Ellenbogen in die Seite, doch Yannick sprach einfach weiter. "We want to show that we like **each other**, and that football is a game, not a **war**. We**'ve arranged** to meet before the kick-off. It should have been a **surprise**, but we have to tell you if you say you want to keep us here until the **start** of the match."

---

kick-off Anstoß
either … or entweder … oder
appointment Verabredung
each other einander
war Krieg
have arranged haben ausgemacht
surprise Überraschung
start Beginn

Marty sagte nichts dazu, und Yannick setzte noch einen drauf: "Think how disappointed the English players will be if we don't **turn up**!"
Marty McNamara schien mit sich zu kämpfen. Dann gab er schließlich nach. "Okay. I like the idea of **sporting brotherhood**. Do what it is you've arranged to do, but **for goodness' sake** don't hurt **yourselves**!"
Das Thema schien damit für ihn erledigt und er ging in die Details der Spielvorbereitung. Kevin sollte Yannicks Platz einnehmen und Motte würde ihn unterstützen und diesmal nicht über rechts spielen. Hoffentlich gelang ihnen, was Yannick nicht schaffen würde: Bing im Zaum zu halten.
Yannick verließ den Stützpunkt vor den anderen. Er drückte sich immer weiter in den Hintergrund, weil es ihn zu traurig machte, einer Taktikbesprechung zu lauschen, die ihn nichts mehr anging.
Mit gesenktem Kopf lief er die Treppen hinunter und schlich durch die Katakomben des Olympiastadions. Er wollte nur noch seine Ruhe haben. Hier konnte er sicher sein, dass ihn niemand suchte.

---

turn up auftauchen
sporting sportlicher
brotherhood Brüderschaft
for goodness' sake um Himmels Willen
yourselves euch

Der dämliche Verband juckte. Er nahm ihn ab und stopfte ihn in die Tasche seiner Trainingshose. Zu humpeln brauchte er jetzt auch nicht mehr – es sah ihn ja niemand.
Es war herrlich kühl hier unten und seine Schritte hallten von den Wänden wider. Bald würden die anderen sich mit ihren Plakaten bewaffnen und durch das Stadion laufen.
Er sollte mit demonstrieren gehen. Wenigstens das.
Er drehte sich um und wusste nicht mehr, wohin er jetzt laufen sollte. Verdammt, wieso hatte er sich den Weg nicht gemerkt?
Er bog um eine Ecke. Schritte waren zu hören, schwere Schritte.
"You should do it **as soon as possible**. No one should see him before the match!"
Yannick zuckte zurück, als er die beiden Männer kommen sah, die er im Gepäckraum und auf der Tribüne belauscht hatte. Das asthmatische Pfeifen war nicht zu überhören. Er drückte sich in eine Mauernische und hoffte, die beiden würden nicht ausgerechnet in diesen Gang abbiegen.
Stattdessen blieben sie genau auf der Kreuzung der beiden Gänge stehen.

---

as soon as sobald wie
possible möglich

"Brunello will talk afterwards", pfiff der eine.
"Well, you **should have known** that. You're the one who has to make it work. If it does, you'll win. If not – everyone **will blame it on you**. Nobody will know that I or any of the others had anything to do with it." Es folgte ein hässliches Lachen, das Yannick Gänsehaut auf die Arme trieb.
Endlich gingen sie weiter. Yannick folgte in gebührendem Abstand, und er hoffte, sie würden ihn wieder hinaus ins Stadion führen. Diesmal achtete er auf Kleinigkeiten, zum Beispiel den wechselnden Bodenbelag oder Schilder an der Wand.
Minuten später wusste Yannick wieder, wo er war, und ließ die beiden Männer laufen.
Er ging weiter zu den Umkleidekabinen, wo ihn Bing und Motte schon mit vorwurfsvollen Blicken empfingen.
"Where've you been? Everybody was looking for you!"
Yannick wollte gerade den Mund öffnen, da rannte Marty McNamara den Gang entlang. "Have you seen Referee Brunello?"
Allgemeines Kopfschütteln war die Antwort. Yannick, Motte und Bing sahen sich an.

should have known hättest wissen müssen
will blame it on you werden dir die Schuld geben

"Maybe he's in his **changing room**", schlug Motte vor.
"No. The officials want to see him", erklärte Marty, "but he seems to have disappeared."
"I think he's **locked** in the **basement somewhere**! He's been **kidnapped** – or even worse!" Yannick redete ohne Luft zu holen.
"Yannick, stop talking rubbish! **Did you hit** your head as well?" Dabei fiel Martys Blick auf Yannicks Knöchel. "Where's your bandage?"
"It hurt more than it helped. But listen – Mr Brunello …"
Sein Trainer war schon weitergerannt.
"If we don't start our demonstration now, we'll have to **cancel** it!", mahnte Bing und trommelte seine Mannschaft zusammen.
"But what about the referee? We have to help him; he's in **danger**!", rief Yannick voller Panik.
"They can't start the match without him", versuchte Motte ihn zu beruhigen.

---

changing room Umkleideraum
locked eingesperrt
basement Keller
somewhere irgendwo
kidnapped entführt
did you hit hast du dir gestoßen
cancel absagen
danger Gefahr

"**Have** you **forgotten** about the other one? The one who took the money? He's going to referee the match. Mr Brunello could **be dying** somewhere in the meantime!"
"Come on, you're exaggerating! We'll look for the referee afterwards!"
Die gemischte Truppe setzte sich in Bewegung und erklomm die Treppe hinauf ins Stadion. Yannick hörte den Stadionsprecher, drehte sich rasch um und ging dorthin zurück, von wo er gekommen war.
Ganz offensichtlich sollte der asthmakranke Engländer den ersten Schiedsrichter zum Schweigen bringen. Dass Motte noch nicht mal richtig zuhören wollte! Die blöde Demo war ihr wichtiger. Sie versuchte das Leben von Kindern am anderen Ende der Welt zu verbessern. Das war toll, aber leider der völlig falsche Zeitpunkt.
Wenn Yannick nur wüsste, wo er anfangen sollte zu suchen!
Er wählte den Weg, den er sich gemerkt hatte. Vielleicht hatten die Männer ein gutes Versteck ausgekundschaftet, bevor sie sich auf den Weg gemacht hatten, Schiedsrichter Brunello zu suchen.

---

have forgotten habt vergessen
be dying im Sterben liegen

Mist, jetzt hatte er sich doch verfranzt! In seiner Panik lief er zurück, sein Herz schlug immer schneller. Seine Schritte trampelten laut über den Boden, so hörte er nichts anderes – und prallte an einer Ecke gegen Motte!

Wieso tauchten sie und Bing plötzlich hier auf?
"Is it really true?", fragte sie gleich. "Is Mr Brunello really in danger?"
"Yes", keuchte Yannick. "I saw Mr Rumford and the other man. They want to stop Mr Brunello from talking!"
"Have you any idea where we'll find him?", wollte Bing wissen.

"Maybe it was this way, but I'm not sure."
"We have to try it!"
"What do we do if we find him?" Motte sah ratlos aus.
"No idea. We'll see."
Sie liefen schnell und Bing sah auf Yannicks Bein. Yannick bemerkte es und Bing grinste.
"Ssssh! Be quiet!" sagte Motte und stoppte ganz plötzlich.
Hinter einer der Türen, die vom Gang abgingen, war etwas zu hören.
"You see my **gun**? I really don't want to hurt you. But you have to **promise** me that you won't say a word to anyone!" Das Pfeifen war den dreien nur zu bekannt.
"For that, I **could have taken** the money when you offered it to me!", war Mr Brunello mit seinem italienischen Akzent zu vernehmen.
"I can still give you money", versicherte Mr Rumford eifrig. "You can have some of my **share**."
Mr Brunello lachte eisig, was Mr Rumford offenbar wütend machte.

---

gun Waffe
promise versprechen
could have taken hätte nehmen können
share Anteil

"Look, it's not my **fault**! They **forced** me to **misuse** money they'd been given by the **Prince's Trust**! You know, Prince Charles is a big **supporter** of children's football. The money **was supposed to** be used to **train young footballers** from poor families, but instead they made me take it and place a huge bet on the English team. They *have to win*, or all the money from Prince Charles's **charity foundation** will be lost! And now they're making me do their **dirty work** for them as well – all because you wouldn't just take the money and let England win!" Mr Rumford war sehr laut geworden.

Yannick hatte derweil vom Flur aus bemerkt, dass sich alle Türen nach innen öffnen ließen. Er griff in seine Trainingshose und holte den Verband raus.

"Can you help me?", flüsterte er und bedeutete Motte und Bing, sich mit je einem Ende des Verbandes rechts und links neben die Tür zu kauern.

---

fault Schuld
forced haben gezwungen
misuse zweckentfremden
Prince's Trust Stiftung des Prinzen
supporter Förderer
was supposed to sollte
train trainieren
young junge
footballers Fußballspieler
charity foundation Wohltätigkeitseinrichtung
dirty work Dreckarbeit

"**I'll distract** him. It's the only chance we've got. Will you help me?"
"Sure!", kam es doppelt geflüstert zurück. "But be careful, Yannick!", flüsterte Motte und drückte ihm rasch einen Kuss auf die Wange.
Das hätte Yannick beinahe aus dem Konzept gebracht, aber er fasste sich gleich wieder. Als die beiden Position bezogen hatten, sandte er ein Stoßgebet gen Himmel, dass Mr Rumford nicht sofort schießen würde. Dann drückte er die Klinke hinunter und stieß die Tür schwungvoll auf.
"Hello, Mr Rumford!", rief er und rannte so schnell er konnte um die Ecke.

Mr Rumford stieß einen Stuhl um und raste aus der Tür. In dem Moment zogen Bing und Motte den Verband hoch, und Mr Rumford schlug der Länge nach hin!
"**Quick!**", rief Yannick. Als Erstes kickte er die Pistole beiseite, die Mr Rumford bei dem Sturz verloren hatte, dann half er den beiden, ihm die Hände auf dem Rücken zu fesseln. Der Engländer war so benommen, dass sie die Füße gleich mit zusammenbanden, sodass Mr Rumford jetzt wie ein verschnürtes Paket auf dem Bauch lag, die Beine in Richtung Rücken gewinkelt.

---

will distract werde ablenken
Quick! Schnell!

Double Winners

"They forced me! They forced me! Ask Henry Bultham! He was the one who arranged everything!", hatte Mr Rumford gezetert, als er von zwei Polizisten abgeführt worden war.
Mr Brunello hatte sich für den Einsatz der Kinder bedankt, und der andere Schiedsrichter, der sich hatte bestechen lassen, war gleich zu Mr Rumford in den Polizeiwagen befördert worden.
Das Spiel hatte mit ziemlicher Verspätung angefangen, weil Yannick, Bing und Motte noch aussagen mussten. Später wollte man Yannick Fotos vorlegen, auf denen er den Mann identifizieren sollte, den er immer zusammen mit Mr Rumford gesehen hatte.
Natürlich spielte Yannick doch, auch wenn er sich für die Knöchel-Lüge einen dicken Rüffel von Marty McNamara einfing.
"Yannick, you did **the same** as me, but **the other way round**", verriet ihm Motte. "When I hurt my ankle, it wasn't really hurt either. But I played on and **pretended** that it was, so I'd look **brave** … and because I hoped you**'d look after** me."

---

the same dasselbe
the other way round andersrum
pretended habe vorgetäuscht
brave tapfer
would look after … auf … aufpassen würdest

Und Yannick hatte nichts gemerkt! Doch bevor er dazu etwas sagen konnte, wurde das Endspiel angepfiffen, und zwar von Mr Brunello.
Von Anfang an gab es starken Druck auf beiden Seiten und schon nach einer halben Stunde stand es 2:1 für England.
Motte hatte das Tor für die Deutschen geschossen, und Yannick hatte sie besonders laut bejubelt.
Bing schien überall zu sein, aber sie standen ihm gut auf den Füßen, und in der zweiten Halbzeit gelang der deutschen Mannschaft der Ausgleich.
"If only we could both win", raunte Bing Yannick im Vorbeilaufen zu, doch beide wussten, dass dieser Fall in den Regeln leider nicht vorgesehen war.

Dann startete Deutschland einen erneuten Angriff. Patrick spielte auf Motte, die passte quer über das Feld zu Kevin, Kevin spielte ab an Yannick, und dieser stürmte nach vorne. Bing stand ihm im Weg. Doch er spitzelte den Ball an ihm vorbei. Der sonst so wendige Bing brauchte für die Drehung länger als sonst, und auch sein Sprint fiel nicht so schnell aus wie gewohnt. Das verschaffte Yannick die Möglichkeit, frei auf das englische Tor zu laufen. Die anderen Engländer holten ihn einfach nicht ein. Yannick stand allein vor dem englischen Keeper. Er zog ab – Pfosten!
Bevor er sich ärgern konnte, prallte der Ball zurück, und mit einem Superkopfball versenkte Yannick ihn im Netz der Engländer.

In dem Moment pfiff Mr Brunello ab.
3:2 für Deutschland!
"Yeah! We did it!", brüllte Kevin, noch bevor Yannick überhaupt begriffen hatte, was geschehen war.
Yannick blieb liegen, wo er war. Er dachte, seine Mitspieler würden ihm die Rippen brechen, weil diesmal wirklich *alle* auf ihn draufsprangen. Irgendwann liefen sie jubelnd durchs Stadion, und Motte holte noch einmal die Plakate vom Spielfeldrand, um allen Fans mitzuteilen:
"Your football is made by a ten-year-old child!"

Die Championsfeier wurde zum ersten Mal in der Geschichte der Kinder-WM von beiden Finalmannschaften gemeinsam begangen. Sogar "We are the champions" gröhlten sie zusammen.
Yannick ging zu Bing und schüttelte ihm die Hand. "Thank you!"
"You **deserved** it. Besides, I didn't want Mr Rumford's **accomplice** to disappear with all that money. And hey – you played a great game!"
Yannick grinste. Noch mehr grinste er, als er Marty McNamara und seine Mutter beobachtete. Sie hatte ihm erzählt, dass Marty sich schon bei der Vorbesprechung sehr intensiv mit ihr unterhalten hatte. Und

---

deserved hast verdient
accomplice Komplize

nun hatten die beiden den üblichen Sicherheitsabstand bereits überwunden und waren sich deutlich näher gekommen. Sehr nah. Er würde Marty wohl auch nach der WM noch öfter sehen.

Als Yannick am nächsten Morgen auf die Straße trat, kam Motte ihm mit der Tageszeitung entgegen.
"Look! There's a **report** about our demonstration!"
Er ging mit Motte hinüber zu Oma Rose. Sie begrüßte die beiden am Zaun. "You two are brilliant! I read about you in the newspaper. My German isn't very good, but I **understood** enough to know that you're heroes!"
Yannick strahlte und deutete auf eine Rose. Oma Rose verstand ihn sofort und nickte.
Yannick brach die Rose vorsichtig ab. Sie war rot mit gelben Sprenkeln und gerade dabei aufzublühen. Er gab sie Motte.
"I should have done this **long ago**!" Und dann drückte er ihr einen raschen Kuss auf die Wange.
Bing sah von der anderen Straßenseite aus zu und lächelte.

---

report Bericht
understood habe verstanden
long ago schon lange